THÉÂTRE 1

JACQUES FERRON

THÉÂTRE 1

Les Grands Soleils

Tante Élise

Le Don Juan chrétien

LIBRAIRIE DÉOM

1247, RUE SAINT-DENIS, MONTRÉAL 129

Cet ouvrage a été publié
grâce à une subvention
du Conseil des Arts du Canada

à Guy L'Écuyer

tnm du 25 avril au 26 mai 1968

cérémonial en quatre actes

mise en scène:	**Albert Millaire**
dispositif scénique:	**Mark Negin**
éclairages:	**Mark Negin et Pierre Goupil**
costumes:	**Gilles-André Vaillancourt**
musique:	**Gabriel Charpentier**

distribution par ordre d'entrée en scène

Mithridate	**Guy L'Ecuyer**
Elizabeth Smith	**Marthe Mercure**
François Poutré	**Jean Perraud**
Félix Poutré	**Jean Lajeunesse** (1)
le curé	**Bernard Lapierre**
Jean-Olivier Chénier	**Jean-Marie Lemieux**
Sauvageau	**Albert Millaire**

(1) Le rôle de Félix Poutré a été interprété également par Yves LÉTOURNEAU.

Les Grands Soleils

PERSONNAGES

JEAN-OLIVIER CHÉNIER.

ELIZABETH SMITH, une jeune fille au service de Chénier et qui n'a rien d'une servante.

FÉLIX POUTRÉ, habitant canadien dans la cinquantaine.
FRANÇOIS POUTRÉ, son fils.

LE CURÉ, gras et sympathique.

MITHRIDATE, robineux en redingote, portant un haute-forme, dit chapeau de castor.

SAUVAGEAU, un Sauvage, prestigieux, vêtu de cuir, s'exprimant bien.

LIEU ET DÉCOR

Cette pièce a été faite à partir d'un décor; celui-ci a donc de l'importance. Il confond deux époques, la nôtre et celle des Patriotes.
Au fond, à gauche, de biais, la gare Viger qui est fermée; plus au centre, le monument Chénier; à droite, le cabinet du médecin; on y entre par le côté et l'avant est ouvert au spectacle. Le reste de la scène est occupé par le parc Viger et le jardin du Docteur Chénier, qui communiquent librement; il est difficile de savoir où l'un commence, où l'autre finit. Dans le parc, un banc vert; dans le jardin, des tournesols géants, que l'on nomme Hélianthes ou grands Soleils.
Ça commence avec le rigodon, les comédiens se mettent dans le décor en giguant un peu d'abord, mais ils se

calment vite, comprenant que le rigodon est pour le spectateur et qu'ils sont pris, eux, comme l'a dit l'inventeur du décor, dans une sorte de labyrinthe dont ils ne sortiront qu'à la fin de la pièce; comprenant qu'ils font partie des meubles et qu'on ne leur laissera jouer leur petit numéro que pour se dégourdir, vu qu'ils ne sont pas de bois et que la cire pourrait leur bloquer les articulations.

Cire, voilà le mot qui leur fera tout comprendre : ces comédiens, dans leur décor, sont les sept personnages d'un tableau du Musée de Cire réduits à s'animer un peu, juste assez pour retenir l'attention du spectateur qui a payé pour les regarder durant deux heures, mais pas trop à cause de la dite cire qui pourrait fondre. « Les Grands Soleils », c'est une pièce qui se joue frette, avec des moments de chaleur fermée.

Après le rigodon, on ne coupera pas les hauts-parleurs. Les hauts-parleurs au théâtre, c'est la voix du bon Dieu. Ils diront : « Tu n'es pas la tête à Papineau ». Trois fois. Là-dessus, le curé passera en revue les comédiens pour leur répéter simplement, comme une formule sacramentale, ce que le Très-Haut-Parleur vient de dire. Le but de la scène suivante, qui précédera le discours de présentation des personnages, sera de répondre au bon Dieu au nom des spectateurs présents et passés, morts ou vifs, qui, un jour ou l'autre, au cours du siècle qui s'achève, se sont fait dire qu'ils n'étaient pas la tête à Papineau et sont restés bouche bée. Cette scène sera nommée la scène de l'exorcisme préalable. En plus de cette fonction rituelle, elle aura pour but secondaire de préparer le spectateur à la scène qui suit le discours de Mithridate, où il est question de Papineau.

SCÈNE PRÉLIMINAIRE D'EXORCISME

(Quand Dieu et le curé ont fini, le rigodon reprend. Comme il est narquois, il suggère que le bon Dieu et le curé n'auront pas le dernier mot.)

Mithridate
Commençons d'abord par la scène dite de l'exorcisme préalable.
Le curé
(à Mithridate) Tu n'es pas la tête à Papineau.
Marthe Mercure
La Tête à Papineau
avec sa houppe
avec son coq
son coq dressé sur les ergots de tous les Patriotes.

La tête à Papineau.
Létourneau
La tête à tout le monde
que tout le monde suivait
figure de proue d'un seul espoir de la libération anticipée
figure de proue d'un navire
aux voiles inespérées
sur les eaux du Saint-Laurent,
trop beau pour durer,
trop beau pour qu'on l'oublie,
d'un navire de trop de voilure
demâté au jour de la révolte
et qui continue
la nuit
la contrebande de la liberté.
Marthe Mercure
La tête à Papineau,
la tête de procession
dans tous les villages du pays,
la tête d'un peuple
surpris
qui se voyait par elle
pour la première fois.
La tête de l'arbre défendu
de la connaissance de soi

et des libertés prises,
après quoi le premier paradis s'abîme
dans le coeur de tous
pour couver sa renaissance
dans celui de chacun.

Létourneau
Car ce qui a été
sera.

Marthe Mercure
Quand on y a goûté
on n'oublie pas
et l'on revient toujours.

Pour une pomme, pensez-vous ?
Non, Messieurs : pour tout le pommier !

Perraud
La tête à Papineau

Létourneau
Cette tête-là,
Je dis que celui qui la portait,
il la portait trop haut :
elle n'est pas redescendue
Tout un peuple s'en était saisi;
Elle n'était plus à lui.

Mercure
Voilà !

Perraud
Voilà !

Létourneau
(au curé) Avez-vous compris ?

Le curé
J'ai compris.

Létourneau
Vous y aurez mis du temps !

Le curé
J'ai l'impression que je n'étais pas pressé.

Létourneau
Encore a-t-il fallu qu'on vous pousse un peu !

Le curé
Cela m'a aidé, en effet.

Perraud
Ne nous la faites plus, Monsieur le curé : la tête à Papineau, elle est à moi, elle est à vous, elle est à nous, elle est à tout le monde.

Le curé
Sauf à Monsieur Papineau ?

Létourneau
Justement ! Justement s'il fut un homme à qui l'on aurait pu dire : « Tu n'es pas la tête à Papineau, » cette homme-là, c'était Papineau ! Et il le savait !

Le curé
Il le savait, possible, mais qui le lui a jamais dit ?

Mercure
Moi.

Létourneau
Moi.

Perraud
Moi.

Le curé
Quand ?

Létourneau
Aujourd'hui.

Perraud
Ce soir même.

Mercure
Papineau, je te le dis,
Je te dis :
Toi, seigneur des Petites-Nations,
des mille paroisses éparses,
des îles cachées dans l'archipel,
du pays qui signe d'une croix,
qui tait son nom — Québec —
en attendant sa réunion
et le moment de le crier,
Je te dis, Papineau, que ce moment arrive
et qu'en lançant son nom
à la face de la terre,
le pays criera aussi le Tien.

Mithridate
(S'inclinant devant la demoiselle)
Papineau, je te salue.
(Il s'incline de même, mais sans rien dire, devant Poutré et François)

Mithridate
(au curé) Elle ne vous va pas si mal, cette tête, Monsieur le Curé, elle ne vous va pas si mal !

(Fin de la première scène, dite de l'exorcisme. On fait entendre le rigodon, le temps qu'il faudra à Mithridate pour affronter le public.)

PRÉSENTATION

Mithridate
Sieurs, Dames, garçons, demoiselles, citoyens, citoyennes des grandes paroisses et des petites nations. Tenanciers, tenancières, de nos cantons, de nos comtés, et vous, gens des îles qui ont retrouvé leur archipel qui se resserre pour donner terre ferme à un pays, permettez que je vous accueille comme vous le méritez, c'est-à-dire sans plus de cérémonie.
Je suis Mithridate, roi du Pont, je ne sais plus lequel; cela n'a d'ailleurs aucune importance que ce soit l'un, que ce soit l'autre pourvu que je passe l'eau à sec : je ne bois que du branvin et de la robine : roi quand même et seul personnage de la distribution assez fastueux pour ne pas vous payer les égards qui vons sont dus, assez malvenus en même temps pour vous présenter sans les désavantager les autres personnages de la pièce.
Elizabeth Smith d'Angleterre et des Ursulines, la seule personne du sexe que vous verrez ce soir sur la scène. C'est une petite Anglaise qu'on a enquébecquoisée. Elizabeth Smith, Salut !
L'autre robe, c'est un curé, le curé de Saint-Eustache, partisan de l'éternité, mal à l'aise dans l'histoire, bien avisé et maladroit, un compatriote quand même. Curé, Salut !
Félix Poutré, l'habitant, le père Noé de notre pays, après le déluge de l'Atlantique, un plus grand personnage que la pièce ne le montre. On l'avait trop vanté dans le passé. Aujourd'hui, il n'en mène pas large, c'est qu'il doit rembourser. Félix Poutré, Salut !
Maintenant, c'est François, son fils, François, le canadien errant de l'Amérique, de la bataille de Saint-Eustache, du front de Normandie, de la guerre de Corée, le zouave, le mercenaire, le Vandouze, le timide, l'inquiet, le proscrit, dont l'exil cessera bientôt, le jour même qu'il aura un pays. François Poutré, Salut !
Sauvageau, l'immémorial, celui qu'on a dépouillé de tout, qu'on a traqué comme un gibier, qu'on a exterminé, le Sauvage qui en retour nous a apporté nos enfants, sauvant ainsi son âme en nous la transmettant. Sauvageau, mon antagoniste, mon frère, Salut !
Jean-Olivier Chénier, lui, n'a pas fait grand chose; il a simplement donné sa vie pour son pays, le pays qui retenait son souffle dans

le limbe du Saint-Laurent et qui, après sa mort, s'est mis à crier, à crier de plus en plus fort. Aujourd'hui, il parle, le monde commence à l'entendre. Chénier, Salut !
Voilà, ils sont six, nous serons sept dans la pièce que nous allons maintenant vous jouer. Sept personnages, autant de complices, sans compter les autres, ceux que nous recruterons dans la maffia des locataires de places. Sieurs, Dames, les Tenancières, les Tenanciers, le chacun, la chacune, d'un petit bordel portatif, personnel et intime. Vous êtes venus pour ça et nous n'avons pas d'autre but.
Le Théâtre, ce n'est jamais gratuit, c'est machiné, prémédité, concerté, c'est un appareil de sédition masqué par les feux des projecteurs et les besoins de l'amusement. Si la représentation d'une pièce a du sens, c'est par la conspiration qu'il y a derrière. Telle est l'idée que je me fais du théâtre, moi, Mithridate, roi du Pont et de la robine. Cette idée, vous n'êtes pas obligés de la partager. On vous conseille même de l'oublier. Mon idée, ma robine, c'est du pareil au même. Oubliez l'une il restera l'autre. Vous en boirez comme j'en ai fait boire, vous le verrez, à Monsieur le docteur Jean-Olivier Chénier, qui était certainement aussi respectable que vous.
Ecoutez-moi bien : je vous ai abordés poliment — soyez polis. Je vous ai dit : « Mesdames, Messieurs, gentilles demoiselles, jolis garçons . . . . Oui, pensez donc ! C'était gracieux comme tout. Je vous ai abordés comme des innocents.
Que ceux qui le sont, le restent, mais comme il n'y en a pas, excepté ceux qui font semblant, et ça, je le sais bien, et ça, vous le savez mieux que moi, alors tant pis pour l'innocence ! Je vous dis :
Mes complices, mes frères, Salut !

ACTE I

NOLET 1

60,000 Canadiens, femmes et enfants compris, dispersés dans un grand pays. En 1760, l'arrivée des Anglais ne les a guère dérangés, trop nombreux pour former un peuple. Faute de peuple, pas de défaite. Par contre, ils venaient de vaincre le climat, de l'hiver des grandes misères faisant la saison de leur victoire.

Poêle à deux ponts,
Couchette à trois matelas,
il fait bon dans la maison.
On embrasse sa femme et c'est le pays qu'on emplit.
Ce peuple qu'on était pas, eh bien ! on le fera.

Un grand garçon sort de la maison, il n'a pas dit son nom, il rencontre Craig et Witherall, il est à pied, ils sont à cheval, il se rend compte qu'il n'est ni l'un ni l'autre : ça, c'est possible; il note en même temps qu'ils n'ont aucune considération pour lui : ça, non ! Il faudra les débarquer. Alors commencent les petits incidents, les petits incidents font les grands.

Poêle à deux ponts ! de la couchette à trois matelas aux 92 résolutions, il y en aura eu de la progression ! Quand l'année 1837 arriva, elle était attendue.

SCÈNE PREMIÈRE

(Sauvageau a la manie de toujours toucher au gens en leur parlant. Il est entré, pensif.)

Sauvageau

Oui, je me rappelle à présent . . .

(Il revient contre Chénier qui suivait, l'arrête de la main, et il lui demande d'une voix plus forte, tout en le maintenant à sa façon, c'est-à-dire chaleureusement.)

Sauvageau
Le grand Papineau s'est alors levé, il l'a regardé, sans laisser voir ses sentiments, il a regardé aussi l'assemblée des gens assis tout autour de lui, puis il a répondu de haut comme lui seul était capable de le faire, il a dit . . .

Chénier
(qui trouve sans doute que Sauvageau parle avec trop d'emphase et perd du temps) Il a dit : « J'aime, j'estime les hommes sans distinction d'origine, etcaetera, etcaetera . . . »

(Chénier veut partir, Sauvageau le retient.)

Sauvageau
Oui, il a dit ça, mais il a surtout répondu ceci : « Pour moi, Messieurs, ce que je désire, c'est un gouvernement composé d'amis des lois, de la liberté, de la justice; d'hommes qui protègent indistinctement tous les citoyens, qui leur accordent les mêmes privilèges. J'aime, j'estime les hommes sans distinction d'origine; mais je hais ceux qui, descendants altiers des conquérants viennent dans notre pays nous contester nos droits. S'ils ne peuvent s'unir à nous, qu'ils restent chez eux. Il n'y a pas de différence d'eux à nous, et nous sommes tous ici sur le pied d'une égalité complète. »

Chénier
(d'abord un peu impatienté, qui s'est laissé gagner) Sauvageau, eh ! mon ami, tu l'admires donc, cet homme ?

Sauvageau
Pas autant que vous, Chénier, mais je fais de mon mieux.

Chénier
T'ai-je dit . . .

Sauvageau
Vous m'avez dit.

Chénier
Que son aïeule avait été élevée dans les cantons Iroquois ?

Sauvageau
Oui, très souvent.

Chénier
Il avait là de quoi tenir.

(Cela est dit avec passion.)

Sauvageau
(en homme qui n'a plus besoin d'être prêché) Chénier, je vous suis acquis, vous le savez bien.

Chénier
Je le sais, je le sais, Sauvageau. Mais il y a des fois, quand je suis fatigué, que j'ai peur d'en douter. Alors, c'est plus fort que moi, j'insiste, je répète . . . au fond c'est peut-être de moi que je doute.

Sauvageau
Allez vous reposer, Chénier, vous en avez le plus grand besoin. Moi, je sais que vous ne doutez pas de vous. Seulement après les nuits blanches, l'obscurité se venge et lance après vous des corbeaux; on a toujours des idées noires. Ne pensez plus, allez dormir.

(Chénier fait quelques pas, il est sur le point d'entrer, il se retourne.)

Chénier
Sauvageau !

Sauvageau
Oui.

Chénier
Si tu apprenais qu'un mandat d'arrestation pour crime de haute trahison était lancé contre Monsieur Papineau, serais-tu surpris ?

Sauvageau
Non; et vous ?

Chénier
Non plus; j'en éprouverais même une sorte de soulagement. Bonjour, Sauvageau.

Sauvageau
Bonjour.

(Sauvageau reste dans le parc. Chénier est entré chez lui.)

NOLET 2

Pourquoi Papineau serait-il révolutionnaire ? Champion de la majorité, il a le Jocker dans sa main. Avec des cartes anglaises, dans le respect des lois, il peut jouer et gagner. C'est si vrai qu'on l'en empêche.

— Comment ?
— En trichant.
— Qui ?
— Ceux qui ont fait les règles du jeu.

(Ils les changeront d'ailleurs en 1840.)

Fair play, cela s'appelle fair play.

Papineau ne doit surtout pas se déconsidérer; il est Papineau comme on est roi, par la volonté d'un peuple avide de considération. Si le Parlement est un tripot, un Papineau comme ça n'y reste pas. Le 7 mai 1837, il entreprend une tournée — Lévesque lui le conduira jusqu'à l'assemblée des 6 comtés, des 92 résolutions, pas très loin de la révolution, lui qui n'était d'abord qu'un parlementaire indigné.

SCÈNE DEUXIÈME

(Elizabeth est assise à la table de travail de Chénier, endormie, le front sur l'avant-bras, entre les paperasses et les gros livres. Chénier dépose son portuna sur une chaise, enlève son manteau, son veston, les jette par-dessus le portuna, revêt une robe de chambre et va, d'un baiser dans le cou, éveiller Elizabeth.)

Chénier

Elizabeth, pourquoi m'avoir attendu ? Ce n'est pas raisonnable; je t'avais dit que je ne reviendrais pas avant le matin.

(Elizabeth encore endormie, d'abord heureuse du retour de Chénier.)

Elizabeth

Pas raisonnable ? Est-ce ma faute si je ne suis pas bien dans mon lit quand vous n'êtes pas à la maison ? *(Puis elle se lèvera brusquement)* Docteur Chénier !

Chénier

Elizabeth ! Qu'as-tu à me regarder ainsi ?

Elizabeth

J'ai rêvé, vous étiez dans le feu.

Chénier

Le soleil se lève, tu m'auras vu à contre-jour.

Elizabeth

Il n'y avait pas de soleil dans mon rêve. *(Elle vient appuyer son front contre l'épaule de Chénier, puis après ce moment de faiblesse)* C'était l'église.

Chénier

L'église qui brûlait ?

Elizabeth

Oui.

Chénier

L'église ! si le curé t'entendait ! Il me prendrait pour un incendiaire.

Elizabeth

Mais vous avez échappé aux flammes en sautant par une fenêtre de l'église. Vous teniez un fusil à la main.

Chénier
Un fusil à la main ?

Elizabeth
Oui, j'en suis sûre.

Chénier
Quelle idée ! Je ne suis pas clérical, mais je n'ai pas l'habitude, que je sache, d'aller à la messe, un fusil à la main ! Après, que m'est-il arrivé ?

Elizabeth
Je l'ignore, vous m'avez éveillée.

Chénier
Ce n'était pas un mauvais rêve; j'en sors, indemne et armé. Bon, j'irai à la chasse ou à la guerre, Elizabeth : un mandat d'arrestation vient d'être levé contre Papineau. Il est accusé de haute trahison.

Elizabeth
Mon Dieu !

Chénier
Bah ! il n'est pas encore en prison.

Elizabeth
Mais vous, docteur Chénier, vous étiez dans le feu !

Chénier
C'est une épreuve que mon ami le curé m'a fait subir; j'en suis sorti armé; lui a perdu son église; ce n'est pas de mauvais augure. Tout le pays se soulèvera pour défendre son chef. Ce n'est pas Papineau, ce sont les Chouayens qui devront se cacher ! Elizabeth, es-tu heureuse ?

Elizabeth
Cela devait arriver. Oui, je suis heureuse.

Chénier
Moi, fatigué; toute ma joie vient de là. J'ai appris la nouvelle au moment de quitter la maison où j'avais passé la nuit. La vieille lavait l'enfant et lui disait, je me souviens : « Ainsi, te voici donc dans ton pays natal. » L'alexandrin m'avait frappé, et le pays natal, d'une venue si heureuse en l'occurrence. J'étais content que l'accouchement fût fini; et la mère aussi, et l'enfant, tout le monde. Tout le monde était d'accord pour remettre à plus tard et pour aller dormir. C'est alors que j'entends un bruit de galop, maudit cheval. Je pense qu'on vient me chercher pour un autre accouchement. Mon bonheur s'écroule; le monde est à recommencer et je ne m'en sens pas la force. Lorsque le courrier m'apprit la nouvelle, j'ai pensé l'embrasser; l'arrestation de Papineau signifiait que je pouvais aller me coucher.

Elizabeth
Alors allez-y ! qu'attendez-vous ?
Chénier
Elizabeth, je ne suis pas un héros.
Elizabeth
Justement, profitez-en.
Chénier
Excuse-moi, je suis vraiment très fatigué. Je ne sais pas ce que nous ferons. Nous déciderons plus tard.
Elizabeth
Vous n'êtes pas en danger, Docteur Chénier ?
Chénier
Non, Elizabeth. Et quand je le serais, tu ne m'empêcherais pas d'aller me coucher. Bonjour.
Elizabeth
Bonjour.

(Chénier se retire. Elizabeth reste dans la maison. François entre et va vers Mithridate.)

SCÈNE TROISIÈME

François
Excusez-moi, Messieurs; la gare Viger, s'il vous plaît.
Mithridate
Hein ?
Sauvageau
Il demande la gare.
Mithridate
Elle était là avant mon somme.
Sauvageau
Elle y est encore.
François
Mon oncle en est parti autrefois. Je voulais l'imiter. Il paraît que je lui ressemble.
Mithridate
Bon voyage, neveu.
François
Merci . . . merci, Messieurs.

(François se dirige vers la gare.)

Mithridate
Un peu maigre mais poli. Il doit venir d'un de ces fonds de province où l'on croit encore au Sauvage, hein, Sauvageau ?

Sauvageau
Oui, je pense.

Mithridate
Je parie qu'il va au Klendaque; il a l'air en retard. Mais il se rend peut-être aux States, ou au Farouest. S'il était habillé en zouave, il irait défendre le Pape.

Sauvageau
Il fait de son mieux.

Mithridate
L'as-tu reconnu ? C'est notre ami le Canadien errant, chercheur d'or, ouiver, pèlerin.

Sauvageau
Et pauvre diable.

François
(revenant) Excusez-moi, Messieurs, mais la gare est fermée !

Mithridate
Ne vous excusez pas; ce n'est pas votre faute.

Sauvageau
Elle l'était avant votre arrivée.

François
Les trains n'en partent-ils plus ?

Mithridate
Ils sont tous partis. J'ai manqué le dernier. J'attends depuis . . . Assoyez-vous donc !

François
Merci . . . Attendez-vous depuis longtemps ?

Mithridate
Je ne sais pas. Je ne sais plus : j'ai cessé de compter les années. Tout ce que je peux vous dire, c'est que vous serez mieux assis.

François
Je crains de ne pas avoir votre patience !

Mithridate
La patience n'est rien, c'est le linge qui s'use. J'aurais mieux fait d'attendre nu.

François
(à Sauvageau) Vous, Monsieur, attendez-vous aussi le train ?

Sauvageau
Moi ? Non, j'arrive; j'arrive sans cesse; et pourtant je suis au pays depuis longtemps; n'est-ce pas curieux ? Cela dépend de mon métier.

François
Etes-vous marchand de nouveautés ?

Sauvageau
Non, je distribue les enfants. *(Il se lève. Elizabeth est sortie dans le jardin.)* En général, on m'accueille bien. Naguère, c'était mieux. Les années ne sont pas si bonnes. On me repousse parfois sans raison. Je pense qu'on a le lait moins riche. Naguère, quand on me repoussait, c'était pour le bon motif. *(Ce disant, il s'est approché d'Elizabeth).*

SCÈNE QUATRIÈME

Sauvageau
Quand vous venez au jardin, les Soleils vous regardent.
Elizabeth
En effet, ce ne sont pas les fleurs les plus discrètes. Bonjour, Sauvageau. *(Elle lui donne la main.)*
Sauvageau
Bonjour... Ce ne sont pas les premières venues, non plus; bien avant l'arrivée des Blancs, leurs têtes dépassaient ainsi les palissades.
Elizabeth
Sauvageau, je sais ce qui vous amène.
Sauvageau
Ce n'est pas la guerre; j'ai mieux à vous offrir, voyez !
Elizabeth
Vous ne pensez donc qu'à ça !
Sauvageau
Si vous y pensiez davantage, vous auriez peut-être moins de soucis.
Elizabeth
Etes-vous marchand de lâcheté, Sauvageau ?
Sauvageau
Regardez donc !
Elizabeth
(regardant dans le sac) Qu'il est beau !
Sauvageau
Il est à vous.
Elizabeth
Comment se pourrait-il ? Je ne suis pas mariée et je n'ai pas de choux.
Sauvageau
Prenez-le quand même.

Elizabeth
Ce n'est pas l'envie qui manque ! Il est beau, assurément, mais c'est peut-être un petit de Chouayen.
Sauvageau
Etes-vous sérieuse ? Il est d'un Patriote, vous savez bien. Les Chouayens ne les font pas si beaux.
Elizabeth
J'espère !
Sauvageau
Celui-ci pourrait être du Docteur Chénier.
Elizabeth
Croyez-vous ?
Sauvageau
Voire de Monsieur Papineau.
Elizabeth
Voyons, Sauvageau !
Sauvageau
C'est un fils de la Liberté, qui ne demande qu'à respirer.
Elizabeth
Que ne donnerais-je pour qu'il crie !
Sauvageau
Vous n'avez qu'à le prendre gratuitement.
Elizabeth
(le repoussant doucement) Voyons, Sauvageau !

SCÈNE CINQUIÈME

(Elizabeth entre chez le Docteur, s'arrête devant un miroir, replace quelque boucle, puis sort de scène.)

Sauvageau
Toi, Mithridate, le veux-tu ?
Mithridate
Moi, j'ai le coeur lisse, sans bourgeon; il ne prendrait pas. D'ailleurs, il est trop vivant, et je n'aime pas la vie.
Sauvageau
Et vous, jeune homme ?
Mithridate
Un oiseau sur la branche ne pense pas à faire des rameaux; il pense à s'envoler . . . Au fait, Monsieur le neveu, où allez-vous donc ?

François

Je pensais suivre mon oncle, mais si tous les trains sont partis, je n'ai plus de moyen. Reviendront-ils jamais ?

Mithridate

Je ne sais pas. Je ne sais plus : il y a si longtemps que nous n'avons pas de leurs nouvelles. Un seul espoir subsiste : la terre est ronde; qu'ils repassent par ici. Il ne faut pas trop y compter, cependant, à cause des déraillements fréquents à Bornéo. Je crois plutôt qu'on les a débauchés et qu'ils sont retournés vers d'autres gares. Viger, ce n'était pas un nom propice; il eût mieux convenu à une école ou à une bibliothèque, où personne ne serait allé, bien entendu. Les bonnes gares portent des noms anglais.

François

Viger était pour moi un nom d'exil, à cause de mon oncle.

Mithridate

Il l'est encore, seulement on a appris à fabriquer l'exil sur place. C'est la découverte du siècle. On garde ses chers proscrits avec soi. La gare Viger ne sert plus. Tu peux corriger ta complainte.

François

Quelle complainte, Monsieur ?

Mithridate

L'émouvante complainte du Canadien errant. Tu restes banni de tes foyers, mais tu n'as plus à parcourir les pays étrangers. Tu verses ta larme ici; ça ménage tes souliers.

Sauvageau

Retourne chez toi, petit.

François

On ne m'y attend pas.

Sauvageau

Tu n'es pas parti depuis huit jours ! Ta place est encore chaude.

François

Mon oncle, lui, n'est pas revenu.

Mithridate

Où donc est-il allé, cet oncle mémorable ?

François

Au Klendaque, Monsieur.

Sauvageau

Comment l'avez-vous su ?

François

Il a écrit, j'ai lu sa lettre.

Sauvageau

Avez-vous eu d'autres nouvelles ?

François
Non. On suppose qu'il vit de ses rentes quelque part dans l'Ouest. Le père, chez nous, pense que c'est à Calgary, une belle ville en vue des Montagnes Rocheuses.
Mithridate
Lucky Boy.
Sauvageau
Le veinard !
François
Pourquoi ne réussirais-je pas aussi bien que lui ? Moi, cependant, lorsque j'aurai fait fortune, je reviendrai.
Sauvageau
Retourne chez toi, petit ! Il ne faut pas ajouter foi aux lettres d'exil.
Mithridate
Laisse-le donc ! Son père lui a montré la lettre de l'oncle; il connaissait son affaire; il ne lui a pas lu la parabole de l'enfant prodigue ! Au prix où sont les veaux !
François
Excusez-moi, Messieurs, je dois partir.
Sauvageau
Réfléchis avant d'aller trop loin.
Mithridate
Trop loin ? Va, Canadien errant, va faire le tour du parc !

SCÈNE SIXIÈME

(Félix Poutré entrera éventuellement et François le regardera avec surprise.)

Sauvageau
Je crois que nous ne le mettons pas en confiance, ce jeune citoyen.
Mithridate
Tu crois, Sauvageau ?
Sauvageau
Il m'en a semblé, Mithridate.
Mithridate
Tant pis pour lui !
Sauvageau
Il ne s'attendait peut-être pas à nous rencontrer ici.
Mithridate
Nous sommes venus au-devant de lui : de quoi se plaint-il ?

Sauvageau
Il ne se plaint pas, nous le dérangeons.
Mithridate
Il a des préjugés : il se prend pour un héros des Amériques. Le sachem, le sorcier, l'extravagance, les marangouins, les plumes et les totems, il mettait tout ça dans le Farouest, un peu en-dessous du Klendaque. Il n'y a plus de plumes, il n'y a plus de totems, il n'y a plus de marangouins, il n'y a plus de héros des Amériques.
Sauvageau
Et il n'y a plus de sachem, il n'y a plus de sorciers : ce garçon nous a tout simplement pris pour des gueux.
Mithridate
Pour qui se prend-il, lui, le proscrit sur place, l'exilé domestique, l'orphelin d'une autre de nos belles familles ?
Sauvageau
Tu le sais, Mithridate : pour un héros des Amériques.
Mithridate
Il n'y en a plus, il n'y en a jamais eu. Tout ce qu'il y a eu, c'était pillage, saccage, tuerie, le grand déferlement chrétien, quoi !
Sauvageau
C'est fini, n'en parlons plus.
Mithridate
Ailleurs, c'est pas fini : il reste les marangouins et les Amerlots, deux nations qui se gorgent encore de sang.
Sauvageau
Ici, c'est fini, tu l'as dit . . . Ce garçon, il pourrait peut-être se trouver un père, un pays.
Mithridate
(qui est presque toujours dérisoire) Et pourquoi pas un sachem, un sagamo ?

SCÈNE SEPTIÈME

Poutré
J'ai déjà vu ce garçon quelque part.
François
Son père !
Poutré
Mon garçon !
François
Vous n'avez pas changé !
Poutré
Je t'ai reconnu du premier coup d'oeil.

François
Je ne l'aurais pas pensé.
Poutré
Mais je n'étais pas sûr que tu me reconnaîtrais. *(Le prenant par le bras)* Viens de ce côté, on y voit mieux. *(Rendu dans le jardin)* As-tu changé, toi ? On dirait que oui; on dirait que non; ce qui ne change rien; de toute façon, tu restes le garçon de Félix Poutré, habitant du Brûlé, à Saint-Eustache des Deux-Montagnes.
François
Bien sûr, son père.
Poutré
Es-tu parti depuis longtemps ?
François
Depuis une semaine.
Poutré
Ce n'est pas long ! Mais une semaine, un an ou un siècle, le temps n'est rien; on peut séparer un père de son garçon, ils ne se quittent jamais.
François
C'est vrai, son père.
Poutré
Mais tu n'es pas allé loin.
François
Je n'étais pas pressé.
Poutré
Dis-le encore.
François
Je n'étais pas pressé.
Poutré
Dis-le encore.
François
Je n'étais pas pressé.
Poutré
Le vrai portrait de son oncle ! Jamais pressé, toujours en retard et qui est arrivé le premier au Klendaque. On lui aurait demandé de revenir de Toronto pour entrer une brassée de petits bois pour sa mère, il serait revenu; un homme serviable ! Je te ramène avec moi, mon garçon.
François
C'est que . . .
Poutré
Tu te reprendras. Tu as toute la vie pour voyager. Oublie un peu ton oncle pour penser à moi.

François
Je n'espérais plus vous revoir, son père.
Poutré
Ni moi, mon garçon, mais le bon Dieu est bon . . . Mets ça sur ta casaque.
François
Ce ruban ?
Poutré
Oui, tout le monde le porte.

(Survient le curé, qu'on n'attendait pas.)

SCÈNE HUITIÈME

Mithridate
Et voilà qu'on commence à se décorer !
Sauvageau
Pas du tout ! On se rubanne pour s'afficher et pour se reconnaître.
Mithridate
Et l'on est distingué, la belle affaire !
Sauvageau
Les Chouayens arborent le rouge, les Patriotes le blanc.
Mithridate
Le sang contre l'innocence. Le rouge attaque, le blanc se rend. Moi, j'aurais préféré le noir.
Sauvageau
Le rouge attaque, le blanc se défend mais, avant de se rendre, il virera au rouge. Ce sont des couleurs pour commencer.
Mithridate
J'aurais préféré le noir, c'est la seule couleur qui ne change pas.
Sauvageau
Regarde donc un peu ton chapeau, coloriste !
Mithridate
Qu'est-ce qu'il a mon chapeau, Sauvageau ?
Sauvageau
Il est noir, mais il tourne au vert on dirait.
Mithridate
C'est pourtant un chapeau de qualité . . . je l'ai toujours dit, on ne juge pas une tête par son chapeau, on en juge par le crâne : lui seul est irréductible.
Sauvageau
Mais comment distinguer un crâne d'un autre ?

Mithridate
Juste avant qu'il ne se montre, Sauvageau, avec sa peau, ses cheveux, bref tel qu'il est en soit. *(Examinant à nouveau son chapeau)* Mon chapeau, il a verdi dans les hauteurs, mais le ruban, lui, n'a pas changé. Après tout, des rubans, pourquoi pas ? *(Il remet son chapeau et tourne le dos à Sauvageau).*

SCÈNE NEUVIÈME

Le curé
On pavoise, Monsieur Poutré ?

Poutré
Monsieur le curé, ne dirait-on pas ! *(à François)* Va m'attendre plus loin. *(au curé)* Vous êtes en plein l'homme que je voulais voir.

Le curé
En êtes-vous certain, Monsieur Poutré ?

Poutré
Si j'en suis certain ! . . . Mais que vouliez-vous dire : on pavoise ?

Le curé
On se met des petits rubans blancs.

Poutré
Où ça, Monsieur le curé ? Vous savez bien que je ne suis pas Patriote.

Le curé
Et votre garçon ?

Poutré
Ne m'en parlez pas, il me fera mourir de honte.

Le curé
Est-ce l'aîné ?

Poutré
Non, le troisième.

Le curé
Comment se peut-il qu'il soit devenu Patriote, Monsieur Poutré ?

Poutré
Je me le demande. *(Montrant la maison du Docteur Chénier)* On l'a peut-être enjolé.

Le curé
Que ferez-vous ?

Poutré
Que voulez-vous que je fasse, Monsieur le curé ? Il est à sa grosseur, je ne peux rien sur lui. Je le subis comme une épreuve du bon Dieu.

Le curé
Il contaminera ses frères, ses voisins. Il faut l'empêcher. Le Brûlé est le seul rang du comté où les gens n'ont pas encore perdu la tête.

Poutré
J'ai peut-être eu tort de le retenir à la maison.

Le curé
Que voulez-vous dire ?

Poutré
Ce garçon a l'étoffe d'un voyageur. C'est le portrait tout craché de son oncle.

Le curé
Mais, mon cher monsieur Poutré, il fallait le laisser partir ! On ne s'oppose pas à une vocation !

Poutré
Çà, c'est vrai.

Le curé
J'ai connu de très honnêtes voyageurs, des exilés qui ont fait honneur à leur patrie. Voyons, Monsieur Poutré, réfléchissez un peu ! Au forçaille, je recommanderai votre garçon à de hauts personnages.

Poutré
Il est peu recommandable.

Le curé
Les voyages le changeront; il a de bons parents; je le recommanderai !

Poutré
Merci, Monsieur le curé.

Le curé
Au fait, Monsieur Poutré, à quel sujet désiriez-vous me voir ?

Poutré
François, tu peux approcher. *(au curé)* Au sujet d'un garçon, Monsieur le curé, qui aurait bien besoin d'une lettre de recommandation.

Le curé
Poutré, vous êtes un renard !

Poutré
Dis donc, François, pourquoi ce ruban ?

François
C'est une mode, je pense.

Poutré
Monsieur le curé n'en a point !

François
Prenez-le, Monsieur le curé, je n'y tiens pas beaucoup.

(Le curé empoche le ruban, mais de bonne grâce.)

Poutré
Et puis . . .

Le curé
Non, c'est assez ! Vous m'avez eu tout rond, restons-en là !

Poutré
Une petite cérémonie de rien du tout, demain après-midi. Un tout petit Baptême.

Le curé
Ah ! je vois. Bon, je vous attendrai demain après-midi. Toutes les cloches sonneront.

Poutré
Monsieur le curé, je ne suis qu'un pauvre habitant.

Le curé
Les cloches, je vous les offre. Il ne sera pas dit que votre curé soit un mauvais perdant.

(Poutré et François le regardent partir, François s'approche de l'oreille de Poutré pour ce qui suit.)

SCÈNE DIXIÈME

(Le curé s'en va, non sans avoir jeté un regard inquiet sur la maison du Docteur Chénier.)

François
Eh, son père, ce curé-là ne semble pas vous haïr !

Poutré
Mon Dieu, quand un homme a le poil important, je le flatte dans le bon sens. Tiens, mets ce ruban sur ta casaque, mon garçon; tous les bons Patriotes le portent. *(Il sonne chez le Docteur.)*

François
Il est pareil au premier. *(Se retournant en le mettant.)*

Poutré
Oui, mais chez le docteur, donne ta casaque si tu veux, mais garde ton ruban.

(Un temps, ils entrent.)

Elizabeth
Bonjour, Monsieur.

Poutré
Bonjour, Mademoiselle. Est-ce que le Docteur est là ?

Elizabeth
(après hésitation) Oui.

Poutré
Il y est à moitié.

Elizabeth
Même un peu moins. Est-ce important ?

Poutré
Non, c'est pour le dix-septième, le chemin est fait, mais ma femme s'imagine que sans le Docteur, il pourrait s'égarer.

Elizabeth
Je vais le prévenir.

Poutré
Excusez-nous de le déranger. La vie ne s'occupe pas de politique.

Elizabeth
Le Docteur s'en occupe, mais ne néglige pas ses devoirs.

Poutré
On le sait bien, Mademoiselle. Dites-lui quand même que ce sera un petit Patriote.

Elizabeth
Le croira-t-il ?

Poutré
Ça lui fera plaisir.

Elizabeth
Vous êtes monsieur Poutré ? si je ne me trompe.

Poutré
Si vous vous trompiez, j'en serais le premier surpris.

Elizabeth
N'habitez-vous pas au Brûlé ?

Poutré
On voit que Mademoiselle est instruite. Connaît-elle aussi mon garçon ?

Elizabeth
Non, je le vois pour la première fois. Bonjour, Monsieur.

François
Bonjour, Mademoiselle.

Poutré
Un voyageur, le portrait de son oncle. Pensez donc qu'il nous est revenu de Montréal avec ça ! Avez-vous vu ?

Elizabeth
(touchant le ruban) Oui.

Poutré
D'abord on a voulu qu'il l'ôte; la mode n'est pas au ruban blanc dans le rang du Brûlé. Non seulement il ne l'a pas ôté, mais il nous a ébranlés : je commence à croire que les Patriotes ne sont pas des politiciens comme les autres.

Elizabeth
Je commence à penser, moi, que vous n'êtes pas un habitant du Brûlé comme les autres, Monsieur Poutré.

Poutré
Ce n'est pas de ma faute.

Elizabeth
(à François en lui serrant la main.) Merci !

SCÈNE ONZIÈME

François
J'ai l'impression, son père, que vous me faites jouer un rôle.

Poutré
Aurais-tu remarqué ça ? Tu es plus fin alors que je ne pensais.

François
Vouliez-vous rire de moi ?

Poutré
Non, j'ai cherché seulement à te faire plaisir. Une belle fille te prend les mains; est-ce tellement désagréable ?

François
Vous auriez dû me prévenir; j'ai niaisé à partir du bras.

Poutré
Ne t'en fais pas; c'est toujours le niais que les femmes aiment.

François
Mais je ne suis pas Patriote plus que vous !

Poutré
Tu vas vite, mon garçon ! Pas Patriote plus que moi ! J'ai une terre, des animaux, une famille. Toi, qu'est-ce que tu as ? Réponds.

François
Je n'ai rien.

Poutré
Tu as une patrie !

François
Si vous voulez, son père.

Poutré
Et tu n'es pas plus Patriote que moi ! Pauvre petit garçon, il n'y a pas de comparaison entre nous ! Je m'occupe de ma terre, de mes animaux, de ma famille et de ta mère qui va accoucher; j'ai autre chose à faire que d'être Patriote. Tandis que toi . . .

François
Je n'ai rien à perdre !

Poutré
Tu voulais même t'exiler.

François
Faute d'une place ici.

Poutré
Il y avait une place de Patriote; je t'ai repris.

François
Bon, je serai Patriote, vous aurez le Docteur pour rien, n'en parlons plus.

Poutré
Je constate deux choses, mon garçon : tu es mesquin et tu n'es pas convaincu. Bien sûr que le Docteur me coûtera moins cher si j'ai un Patriote dans la famille, mais je ne suis pas économe au point de te sacrifier pour quelques écus. Ton frère Michel est dans l'autre clan.

François
Je vois; vous ne voulez rien risquer.

Poutré
Mon garçon, les affaires vont plus mal qu'on ne pense. Elles tourneraient à l'émeute, voire à la guerre, que je n'en serais pas surpris. Non, je ne veux pas risquer ma terre, mes animaux, ma famille. Aide-moi à les protéger ! Pense à ta pauvre mère !

François
Contre qui les protéger ?

Poutré
Contre les Patriotes, voyons ! Tu ne pensais pas que ce fût contre le Gouvernement.

François
J'aurais pu le penser.

Poutré
Ton frère Michel s'en chargera.

François
Et vous me reprochez, son père, de ne pas être convaincu !

Poutré
Oui, je te le reproche. J'ai besoin d'un vrai Patriote, enthousiaste, brave, fou, capable de courir sur un canon ! Ou si tu préfères : capable d'assommer son frère.

François
Lui, serait-il capable ?

Poutré
Je le crois. Ses bourgeois qui sont des Chouayens féroces semblent satisfaits de lui. D'ailleurs, vous ne vous êtes jamais aimés, Michel et toi.

François
On peut ne pas s'aimer et ne pas s'assommer.

Poutré
Vous travaillez pour des gens instruits. Le Docteur t'a déjà vu la peau du ventre; ne pense pas le tromper. Sois sincère, ne cherche pas le fond des choses; regarde ton ruban, il suffit. Quand les cochons se font la guerre, comment se distinguent-ils les uns des autres ? Par le ruban.

François
Attention, son père !

SCÈNE DOUZIÈME

Chénier
Non, Elizabeth.

Elizabeth
Si par hasard, il se réfugiait ici ?

Chénier
Impossible. Bonjour, Poutré.

Poutré
Bonjour, Docteur. Je vous présente mon garçon.

Chénier
Votre garçon ? En êtes-vous bien sûr ?

Poutré
Un exilé qui nous est revenu de Montréal avec des idées croches.

Chénier
Le mouton noir de la famille !

Poutré
Quand les Anglais nous auront tous tondus, on ne verra plus la différence.

Chénier
Bien dit ! Ça me fait plaisir, Poutré, d'apprendre que vous avez un fils avec nous. C'est le signe que notre cause est bonne. Il paraît que votre femme a quelque chose à me dire.

Poutré

Dame ! Depuis un an que vous ne vous êtes pas vus et bavarde comme elle est : sûr que la langue lui pique !

Chénier

Nous ne la laisserons pas languir. *(à Elizabeth)* Je reviens aussitôt après.

François

Bonjour, Mademoiselle.

Elizabeth

(lui serrant la main) Au revoir.

Poutré

Mon garçon vous conduira, Docteur. Moi, je vous rejoins à pied.

(Chénier et François sortent)

NOLET 3

Lord Gosford se tourna vers Witherall : « A vous, colonel ». Witherall tira. Au loin, dans les 6 comtés, un fusil lui répondit. Prélude au concerto du fusil de guerre et du fusil de chasse.
Dans le fusil de guerre Gosford avait fourré la loi, les évêques avaient mis un peu du bon Dieu; Witherall ajouta la poudre et les balles.
Dans le fusil de chasse, on introduisait des cuillers fondues.
Sous le rapport de la mitraille, la musique était inégale. Witherall visait au coeur, mais l'âme était déjà touchée : derrière la mort, il n'y avait plus de sépulture. Cette débauche des fossoyeurs donnait froid dans le dos et nuisit au recrutement des chasseurs. Il resta quand même assez de Patriotes pour gaspiller les ustensiles. En vrai pouilleux, faute de cuillers, ils mangeaient leur soupe avec les mains.

SCÈNE TREIZIÈME

(Elizabeth dans la maison; Poutré dans le jardin, Sauvageau et Mithridate dans le parc.)

Sauvageau

Le soleil est plus bas d'un jour à l'autre. Les tournesols sortent au-dessus des palissades, grands yeux d'automne. Dans les feuilles mortes, un chat roux s'allonge et disparaît : encore une belle journée ! Mais la fin approche; le chat deviendra gris, il grattera à la porte de la maison. La moisson est engrangée; il ne reste au jardin que des citrouilles. Que viens-tu faire, belle journée, dans ton carosse doré ?

Mithridate

C'est la petite Cendrillon qui s'en va porter une motte de beurre à sa grand'maman malade.

Sauvageau

Bientôt, privés de lumière, les grands Soleils inclineront des fleurs aveugles. Il neigera dans le creux de l'orbite. La guerre viendra.

Mithridate

Hou ! Hou !

Poutré

(qui s'est approché) Il y aura la guerre, n'est-ce pas ?

Mithridate

Cela s'annonce mal; quand je bois, j'entends hurler des loups. Et la petite Cendrillon qui va, qui va ! Son carosse redeviendra citrouille; je ne donne pas cher pour sa motte de beurre.

Poutré

Il y aura la guerre, n'est-ce pas ?

Sauvageau

(lui montrant le monument) Regardez.

Poutré

Je m'en doutais. Maudit Chénier !

(Poutré s'éloigne, Elizabeth le rappelle.)

Elizabeth

Monsieur Poutré !

Poutré

Que me voulez-vous ?

Elizabeth

Excusez-moi !

Poutré

Dites toujours.

Elizabeth

Quand l'enfant sera né, le Docteur sera content; dites-lui de ne pas céder, dites-lui qu'il faut se battre. Vous êtes un homme prudent; il vous croira.

Poutré

Pourquoi se battre ?

Elizabeth

Les Habits rouges viendront.

Poutré

Mauvais temps !

Elizabeth
Au contraire, Monsieur Poutré, les travaux sont terminés, la récolte est engrangée, tous nos hommes seront au poste pour défendre leurs terres, leur pays : c'est le meilleur temps de l'année.
Poutré
Le pire !
Elizabeth
Le meilleur, je vous assure, mais à la condition de se battre. Aidez-moi, Monsieur Poutré. Soyez résolu, le docteur se mettra à la tête du canton. Qu'ils viennent alors, les Habits Rouges; nous les tuerons jusqu'au dernier.
Poutré
Jusqu'au dernier ?
Elizabeth
Oui, jusqu'au dernier !
Poutré
On pourrait peut-être en épargner un; un seul, Mademoiselle.
Elizabeth
Pourquoi faire ?
Poutré
On vous le laisserait.
Elizabeth
Pour que je le tue de ma main ?
Poutré
Mais non, vous ne ferez pas ça, trop contente de pouvoir vous marier avec lui ! *(Il sort.)*
Elizabeth
Je ne suis pas anglaise ! *(A Sauvageau)* N'est-ce pas, Sauvageau, que je ne suis pas anglaise ?
Sauvageau
Mais non, ma prunelle ! Regardez : les grands Soleils sont tournés vers vous.
Elizabeth
Vous parlez pour me rassurer. Est-ce que cela veut dire quelque chose ?
Sauvageau
Le pays vous voit et vous admire.
Mithridate
(soulevant son chapeau dérisoire) Il vous salue.
Elizabeth
Je ne suis pas anglaise !

NOLET 4

Se défendant de faire de la politique alors qu'il est en train d'en faire, non pas de front mais de biais pour plus d'efficacité, le prélat de 1837 a dit d'abord que Dieu en laissait beaucoup aux disputes des hommes :

> p'tit pas de dégagement,
> puis grande charge en avant au nom de la morale,

« laquelle étant de notre ressort et compétence, c'est à votre évêque, mes très chers frères, à vous donner ses instructions et à vous de l'écouter », *autrement vous êtes excommuniés net, frette, sec !*
Tous les colonisés du monde ont dû passer par cette étape troublante; elle s'inscrit dans le processus de leur libération. Possible aux Patriotes en 1837, elle l'est aujourd'hui aux évêques. Mes très chers frères, ne les excommuniez pas, car ça serait une erreur politique de relancer la désunion sous prétexte qu'une fois, déjà (peut-être deux) un peuple a été divisé.

ACTE II

SCÈNE PREMIÈRE

(Dorénavant dite des deux bréviaires.)

Le curé

Quand avez-vous quitté les Ursulines, Elizabeth ?

Elizabeth

Le 1er juillet 1835, Monsieur le curé.

Le curé

Que le temps passe vite ! Plus de deux ans déjà !

Elizabeth

Le temps ne passe pas deux fois; quand il est passé, il ne passe plus : on l'oublie. Puis, lorsqu'on ne s'en souvient plus, on dit : « Mon Dieu, qu'il passe vite ! »

Le curé

Eh ! vous ne raisonniez pas si bien quand je suis allé vous chercher : vous pleuriez, ma pauvre enfant !

Elizabeth

Je n'avais rien à dire, alors je pleurais. Ce n'était guère intelligent, j'en conviens.

Le curé

C'était plus sympathique. Les religieuses pleuraient aussi. Vous étiez encore leur fille.

Elizabeth

Elles sont encore mes mères . . . Oui, c'est vrai que j'ai eu grand chagrin à les quitter. Si elles m'avaient aimée pour elles-mêmes, elles m'auraient gardée. Mais, je dépérissais, elles ont voulu que je parte.

Le curé

Vous m'avez suivi, Elizabeth, point raisonneuse mais courageuse en dépit de votre visage couvert de larmes.

Elizabeth

En dépit de ces larmes mon coeur riait déjà. Durant le trajet, je vous observais et vous ne me faisiez pas l'effet d'un méchant homme. *(Le curé, qui n'a jamais pensé qu'il pouvait être un méchant homme, reste interloqué. Elizabeth en profite pour lui demander ceci) Dites-moi,* Monsieur le curé : mes parents n'étaient pas anglais ?

Le curé
Je l'ignore . . . quelle importance ?
Elizabeth
Je voudrais savoir.
Le curé
Je n'en sais rien . . . Attendez, je me rappelle; à votre arrivée ici, vous avez été malade. Vous déliriez la nuit, c'était en anglais. Un matin, je vous avais adressé la parole dans cette langue; vous ne m'aviez pas compris. C'est étrange, n'est-ce pas ? Tout ce que je sais vraiment, on vous l'a appris : vos parents sont morts en mer, les Ursulines vous ont recueillie, vous aviez trois ou quatre ans. Le passé n'a pas d'importance, Elizabeth.
Elizabeth
Au fond, je suis une étrangère.
Le curé
Une étrangère ! Je crains plutôt que vous ne soyez plus Canadienne qu'il ne faut. Les Ursulines croyaient pouvoir vous garder; votre santé l'a empêché; l'amour qu'elles vous ont enseigné est trop grand pour le monde; la Patrie n'est pas le bon Dieu, Elizabeth !
Elizabeth
Elle n'est pas le Diable, non plus, Monsieur le curé.
Le curé
Au train où vont les choses, je me le demande ! Elle est cause en tout cas que mon autorité diminue de jour en jour. Mais il se peut que sur ce sujet je ne sois qu'un homme comme les autres.
Elizabeth
C'est l'opinion du Docteur Chénier.
Le curé
Je sais ! Je sais ! Mais ce n'est pas parce que je suis un homme comme lui qu'il a raison et que j'ai tort ! Il est sincère, la belle affaire ! Et moi, est-ce que je ne le suis pas ? Non, la question n'est pas simple.
Elizabeth
On peut dire . . .
Le curé
Ne dites rien; ce n'est pas vous, Elizabeth, qui l'éluciderez. Vous n'êtes pas une étrangère, vous êtes une couventine, c'est bien pire.
Elizabeth
Merci pour les Ursulines.
Le curé
Les Ursulines vous ont appris à aimer le bon Dieu, par conséquent tout ce qui est grand; à cet égard, elles restent irrem-

plaçables. Mais il y a ce qui est petit, la réalité de tous les jours, le pays tel qu'il est : les Ursulines sont cloîtrées, elles n'y connaissent rien.

Elizabeth

Je ne suis pas cloîtrée.

Le curé

Vous êtes au monde depuis deux ans; qu'avez-vous vu ? Ce que vous étiez préparée à voir. Vous avez vu la Patrie avec un grand « P » comme une grande pipe, une Patrie de fumée qui vous a caché le principal. En 1837, nous sommes encore un peuple d'habitants.

Elizabeth

Vous ne m'apprenez rien, Monsieur le curé.

Le curé

Chacun est indépendant sur sa terre; il pourrait sans dommage se passer du gouvernement. Ce qui compte au pays, c'est la famille, la paroisse. Nous n'en sommes pas encore à la Patrie.

Elizabeth

Grâce à quoi le clergé reste tout-puissant et peut traiter directement avec le Gouverneur par-dessus la tête de nos représentants.

Le curé

Ça, vous ne l'avez pas appris chez les Ursulines !

Elizabeth

Le Docteur Chénier prétend que vous ne tenez vraiment qu'à votre pouvoir.

Le curé

Etes-vous sûre de l'avoir bien entendu ? Jean-Olivier n'est pas mesquin. Il connaît le soin que nous apportons à former le pays.

Elizabeth

Pour mieux le former vous le tenez en enfance.

Le curé

Nous le prenons tel qu'il est.

Elizabeth

Le Docteur Chénier est plus pressé de le voir adulte et maître de sa destinée.

Le curé

On ne met pas ses oeufs dans une seule omelette quand l'étranger est à table. Nous sommes maîtres dans nos familles, dans nos paroisses : cela suffit pour le moment.

Elizabeth

S'en contenter serait garder l'étranger à table. L'avons-nous invité ? Alors qu'il s'en aille. Il est écrit dans votre missel, Monsieur le Curé, que le meilleur moyen de perdre le poulailler est de vouloir sauver les oeufs.

Le curé

Et dans le tien, Elizabeth, qu'est-ce qu'on dit ?

Elizabeth

On dit que les peuples et les nations opprimés ne doivent pas s'en remettre, pour leur émancipation, à la sagesse de vos pareils.

Le curé

(lui prenant son bréviaire rouge et l'ouvrant à la page 90) Il est écrit : « Un paysan ne peut labourer la terre que parcelle par parcelle. Il en est de même pour les repas. Stratégiquement, prendre un repas ne nous fait pas peur : nous pourrons en venir à bout. Pratiquement, nous mangeons bouchée par bouchée. Il nous serait impossible d'avaler le repas entier d'un seul coup. C'est ce qu'on appelle la solution un par un. »

(Le curé remet à Elizabeth son bréviaire ouvert. Elle peut vérifier l'exactitude de la lecture.)

Le curé

Elizabeth, le Docteur Chénier et moi, nous étions deux amis au collège. Je sais ce qu'il pense; rien d'important ne nous sépare. Nous tendons vers le même but; nous différons par les moyens. Mais nous ne sommes pas des ennemis.

Elizabeth

Cela se peut, Monsieur le curé.

Le curé

Elizabeth, vous avez été élevée par des religieuses; c'est moi qui vous ai placée chez le Docteur Chénier. Nous vous avons formée du mieux que nous avons pu; d'une petite Anglaise nous avons fait une Canadienne. Que la Canadienne ne se retourne pas contre nous ! Elizabeth, aidez-moi; je ne vous demande pas de retenir le Docteur Chénier; je vous supplie de ne pas l'inciter à la révolte.

Elizabeth

Louis-Joseph Papineau a été accusé de haute trahison.

Le curé

Hélas !

Elizabeth

S'il nous demandait refuge, voulez-vous que je prie le Docteur Chénier de le livrer au bourreau ?

Le curé

Elizabeth, mon enfant, qu'allez-vous chercher là ? Vous devez sauver Monsieur Papineau. Mais il faut aussi apaiser les esprits, le vôtre pour commencer. Patience ! car nous ne sommes pas les plus forts.

Elizabeth

Nous ne reconnaissons pas la Force.

Le curé

Elle ne nous en demande pas tant.

Elizabeth

Nous résisterons.

Le curé

Vous serez écrasés.

Elizabeth

Notre mort vaincra.

Le curé

Elizabeth, vous êtes folle !

Elizabeth

Monsieur le Curé, je vous le dis : les Anglais, rouges de notre sang, s'en retourneront comme des assassins.

Le curé

(criant) Poursuivis par la conscience ! . . . Vous délirez, vous êtes folle !

Elizabeth

Si je délire, vous n'êtes pas chrétien !

Le curé

Merci, je n'ai pas de temps à perdre.

Elizabeth

Monsieur le curé !

Le curé

Oui, Elizabeth.

Elizabeth

Je ferai de mon mieux, je vous le jure.

Le curé

De ton mieux ! Bien sûr pour le pire.

SCÈNE DEUXIÈME

Mithridate

Doux agneau de Jérusalem ! Voilà un curé pressé de marcher après son nez ! Quelle proue ! Quel tourbillon ! Il avait le vent dans les jupes. Il était parti pour sortir et il a sorti, tu as vu, Sauvageau ?

Sauvageau
Oui, je me suis rendu compte. J'ai même eu l'impression qu'il était fâché.

Mithridate
Fâché ? Doux agneau de Jérusalem ! Est-il possible ?

Sauvageau
Cela arrive. Pas souvent, mais cela arrive. Comme c'est toujours pour le bon motif, un curé qui se fâche, se fâche mieux qu'un autre.

Mithridate
J'ai vu, je n'en doute plus . . . Le bon motif, ce serait la petite Elizabeth . . .

Sauvageau
Il l'a quittée, en tout cas.

Mithridate
Il l'a quittée, c'est certain. L'air de rien, les petites demoiselles ont toujours une allumette pour mettre le feu à la mèche. Qu'est-ce qu'elle a pu lui dire pour qu'il parte ainsi ?

Sauvageau
Rien de bien extraordinaire.

Mithridate
Tu crois ?

Sauvageau
Autrement, il aurait explosé sur place.

Mithridate
Doux agneau de Jérusalem !

Sauvageau
Elle n'a peut-être rien dit, mais elle n'a pas voulu faire ce qu'il voulait qu'elle fisse. Ou tout simplement ce qu'il voulait qu'elle ne fasse pas. Notre demoiselle est sur un pied de guerre. Le curé a peut-être voulu qu'elle remette ses souliers du couvent. Elle aurait dit non, comme ça, du talon de sa petite botte guerrière.

Mithridate
En faisant des flemmèches, parce qu'elle en fait des flemmèches, la petite Elizabeth, et rien qu'en marchant. Si elle a tapé du talon, je comprends qu'elle l'ait allumé, ce pauvre curé. *(Entre François)* En voilà justement un autre de ses météores ! Seulement celui-là, elle ne l'a pas allumé par le même bout . . . Canadien errant, je te salue. Ta rencontre m'illumine. Viens dans mon royaume, nous la mouillerons sous le pont.

François
Bonjour . . . Excusez-moi, on m'appelle.

Mithridate
On t'appelle ?

François
Oui, on m'appelle.

Mithridate
Je n'entends pas. Ah, c'est ton oncle, là-bas, dans sa lucarne, au Klendaque; il a perdu la voix ! Laisse-le crier, il ne nous dérange pas.

François
C'est la guerre, il faudra se défendre.

Mithridate
Viens dans mon royaume, la gare est fermée.

François
(le repoussant) Nevermagne, la gare ! . . . Je m'enrôle.

Mithridate
Tu t'enrôles ?

François
Oui, je m'enrôle.

Mithridate
Viens mouiller ça, on n'a pas la guerre tous les jours.

François
Assoyez-vous, le père, et restez bien tranquille.

Mithridate
As-tu ton grand fusil ?

François
Oui, le père, j'ai mon grand fusil.

Mithridate
Prends le temps, vise bien, ne les manque pas !

(Mithridate reste sur le banc, où Sauvageau le rejoindra. François passe au jardin.)

SCÈNE TROISIÈME

François
Mademoiselle, écoutez-moi !

Elizabeth
François Poutré. Mais qu'avez-vous ?

François
Mademoiselle, je vous ai trompée.

Elizabeth
Que me dites-vous là, François Poutré ?

François
Je dis que je vous ai trompée et que vous ne le méritiez pas.
Elizabeth
Vous m'étonnez.
François
Moi, je me déteste, j'ai honte. Et je suis là devant vous quand je me voudrais six pieds sous terre. Je vous ai abusée, Mademoiselle.
Elizabeth
En êtes-vous bien sûr, François Poutré ?
François
Je n'étais pas Patriote !
Elizabeth
Vous n'étiez pas Patriote ?
François
J'avais mis un ruban blanc sur ma casaque, c'était pour vous amuser. Un blanc, un vert, un jaune, un indigo. C'était pour moi du pareil au même : je n'avais pas d'idées. Un Patriote, Mademoiselle, je ne savais même pas ce que c'était.
Elizabeth
Et vous le savez maintenant ?
François
(fièrement) Oui, je le sais, grâce à vous !
Elizabeth
Alors quel mal y avait-il à vous amuser de moi, François Poutré ? Je ne vous en veux pas.
François
Moi, je m'en veux.
Elizabeth
François Poutré, serait-ce que vous voulez me nuire ?
François
Mademoiselle, qu'allez-vous penser là ? Foi, je vous jure, mon dessein n'était pas de vous nuire.
Elizabeth
Je le sais bien, voyons . . . ! En somme, François Poutré, vous pensiez moins à me tromper qu'à obéir à votre père. Vous ne me connaissez pas : quel mal y avait-il à épingler un ruban blanc sur votre casaque ?
François
Le mal est venu après, quand je vous eus connu.
Elizabeth
C'est votre père qui a voulu vous tromper et nous pouvions nous y attendre : il vous déteste.

François
Non, Mademoiselle, vous exagérez.
Elizabeth
Il ne vous aime guère.
François
Il serait plutôt porté à aimer le Docteur, mais cela ne compte pas : il a une terre, des animaux, une famille. Il faut le comprendre : il ne peut pas s'occuper de politique. De loin, et encore sa main droite annule-t-elle ce que fait sa main gauche. Comme il n'a rien à gagner, il cherche à ne rien perdre. Il se tient derrière mon frère, Michel, et moi; Michel était chouayen. Il a voulu que je sois Patriote.
Elizabeth
Vous avez accepté.
François
Je ne savais pas à quoi je m'engageais. Vous m'avez donné la main : elle était douce, elle me brûle, car j'étais indigne de la prendre.
Elizabeth
Et maintenant vous refusez, François Poutré ?
François
Je n'ai rien à accepter ni à refuser : je suis devenu Patriote.
Elizabeth
Reprenez ma main, François . . . C'est la vôtre qui est chaude. Elle me réchauffe le coeur. L'avenir est à nous, le sentez-vous ?
François
J'en suis sûr . . . Mademoiselle, que voulez-vous que je fasse ?
Elizabeth
Nous manquons d'armes. On m'a dit qu'il y avait des fusils dans le rang du Brûlé; ne seraient-ils pas en meilleure main ici ?
François
J'y vais; je rapporterai ce que je pourrai.
Elizabeth
Je vous attends, François !
François
Ce sera au moins celui du Bonhomme, un fameux fusil, allez, vous verrez !

SCÈNE QUATRIÈME

Mithridate

Un fusil qu'on attendait . . . Voici maintenant le récit de la bataille de Saint-Eustache. Les Patriotes s'étaient retranchés dans l'église. A midi, le canon tonna : le Général Colborne saluait. On ne répondit pas, il saluait de trop loin. Les balles étaient rares, on en était avare; on voulait les placer mais à coups sûrs. Les Anglais s'approchèrent donc au milieu du silence. Cependant, Chénier disait aux braves qui se plaignaient au fond tout bas, dans l'église muette, de rester les mains vides. « Vous prendrez les fusils des morts, il y en aura pour tout le monde. » Et les braves s'imaginèrent peut-être que les morts, c'était les Anglais qui s'approchaient dans leurs uniformes rouges comme autant de cibles touchées avant même qu'on ait tiré contre eux une seule balle. *(Réaction de Sauvageau)* Pourquoi pas ? Hein ! Sauvageau, pourquoi pas ?

Sauvageau

Pourquoi pas ? quoi ?

Mithridate

Non, parce que les braves n'auraient pas été des braves, non, non, et non !

(Quelques hésitations de Mithridate et Sauvageau puis le récit de la bataille de Saint-Eustache tourne court.)

Sauvageau

Mithridate, un instant. Doucement, Mithridate. Mais non, mais non. Ce n'est pas le moment, non, non.

SCÈNE CINQUIÈME

Le curé

Mon cher Olivier, ton père a vu l'arrivée des Anglais et tu peux déjà, toi, Jean-Olivier, fils d'un vaincu, tenir tête au vainqueur.

Chénier

L'occasion est unique; si nous nous inclinons, nous ne nous relèverons pas.

Le curé
Tous les moyens de résister sont permis, sauf la violence.
Chénier
Il faut encore nous affirmer. Avons-nous dit, Luc, à la face du monde, qui nous sommes ?
Le curé
Nous sommes un peuple d'honnêtes paysans.
Chénier
Nous avons des honnêtes paysans, des bons curés, quelques gens instruits, mais nous ne sommes pas un peuple. Nous habitons le pays, mais nous n'en avons pas pris possession. Si nous n'affirmons pas nos droits, on nous considérera comme des Sauvages, comme des Acadiens, bons pour les réserves et l'extermination. Il faut que les autres peuples sachent que nous sommes leurs égaux.
Le curé
Ils finiront par s'en rendre compte.
Chénier
Ils s'en rendront compte si nous le proclamons.
Chénier
Tête basse on n'affronte personne, mais on peut la relever pour voir, pour parler, par simple dignité. Ces Anglais, je les ai regardés : n'en avais-je pas le droit ? Ils étaient sur mon chemin, le chemin était étroit . . .
Le curé
Les chemins étroits se sont multipliés depuis quelque temps.
Chénier
Quand je suis sur mon chemin, je passe. A qui sont les chemins étroits ? Ils ne sont pas au roi.
Le curé
Ils sont aux bagarreurs.
Chénier
Non, aux honnêtes gens. J'ai rencontré les Anglais trop souvent. Eux aussi, quand ils sont sur leur chemin, ils passent ! Pour qui se prennent-ils ? Qu'ils le disent ! Mais ils ne sont pas parlables. Tant pis pour eux ! Parce que c'est par eux que nous parlerons, contre eux que nous nous affirmerons.
Le curé
En leur tenant tête ?
Chénier
Oui, puisqu'il le faut ! Avons-nous dit à la face du monde qui nous sommes ?
Le curé
Crois-tu qu'il soit curieux de l'apprendre ?

Chénier
Le monde a un faible pour les petites nations qui se font place au jour contre les grandes. Entre, Luc. Nous avons toujours été des amis, nous finirons peut-être par nous entendre.

Le curé
Je me méfie de tes livres, Jean-Olivier.

Chénier
C'est un simple rapport sur les Acadiens en France, 2,000 établis autour de Poitiers. Dix ans plus tard, ils étaient tous repartis.

Le curé
J'ignorais.

Chénier
Pour la Louisiane, s'étant rendu compte qu'ils n'étaient plus Européens. Par contre nous avons gardé les nôtres : que de rangs nommés l'Acadie dans le Bas-Canada ! . . .

(Chénier sort.)

NOLET 5

L'automne avance. Le fleuve pris, l'armée d'occupation sera réduite à elle-même, hors de tout secours. Encore un mois, il n'y aura plus d'Angleterre en Bas-Canada; ce sera l'hiver et l'hiver appartient aux Canadiens. Le 23 octobre, ils sont venus 5,000 applaudir Papineau à l'assemblée des six comtés. Elle fit grand bruit. Le lendemain, on se demandait si l'armée ne resterait pas en garnison jusqu'au printemps. Suppositions, calculs, à commencer par celui du rapport entre applaudir et se battre. Peut-être que les Canadiens avaient applaudi très fort pour être quittes envers les Patriotes, parce qu'ils craignaient de se battre ? On compara certainement fusil de guerre et fusil de chasse, canon de campagne et fourche d'habitant. On tint compte de l'intervention du clergé. Il restait un mois avant l'hiver. On décida d'intervenir au plus vite. Quelques jours après l'assemblée, l'armée prend l'initiative de la répression.

SCÈNE SIXIÈME

(Mithridate sur le banc du parc; Sauvageau, allongé sur le gazon.)

Mithridate

Le Canadien errant a pris son grand fusil. Le curé qui n'aime que le doux bruit des grelots, n'était pas content. Je lui ai dit : « Vise bien, ne manque pas ton coup ! »

Sauvageau

Tu es gris.

Mithridate

Je vois rouge. La Patrie sera sauvée. Je suis son sauveur.

Sauvageau

Tu ne seras pas seul, j'espère.

Mithridate

L'oncle regardera la bataille, là-haut, de sa lucarne, au Klendaque. Les grands Soleils, gorgés de sang, éclateront au crépuscule.

Sauvageau

Tu es gris.

Mithridate

Je vois rouge. La Patrie sera sauvée. Des sauveurs, elle en a partout, comme une bête ses puces; des sauveurs en haut, des sauveurs en bas, des sauveurs sur les côtés.

Sauvageau

Chacun fait de son mieux.

Mithridate

Ils tirent tous ensemble de haut, de bas, de gauche, de droite; s'ils ne la sauvent pas, ils lui étireront la peau, nous aurons encore un autre drapeau. Et puis, il y a ceux d'avant, les chevaux prophétiques, ceux d'arrière, laquais de cimetière. Ils tirent, ils tirent !

Sauvageau

C'est ainsi que la Patrie reste dans sa définition, présente et à sa place.

Mithridate

Quel charriot ! Je tire, tu tires, nous tirons, mais s'ils tirent trop, les sauveurs de la Patrie, si l'attelage brise, si les ficelles cassent ?

Sauvageau

Alors, ils tombent tous sur le cul, assis sur la même terre, comme des frères . . . Mithridate, d'où tires-tu ?

Mithridate

J'ai l'impression que je suis déjà sur le cul.

Sauvageau
Ainsi tu m'entends, qui suis sous terre.

Mithridate
Eh ! tu es bas, mon Sauvageau.

Sauvageau
Je suis pourtant tombé de haut.

Mithridate
Oui, grand Aigle.

Sauvageau
On m'a dépouillé de tout, de ma langue, de mes pensées; pour me convertir, on a crucifié sous mes yeux un Christ rouge. C'est lui qui m'a sauvé. Je n'ai pas maudit ma nouvelle patrie. Pour me survivre, je lui apporte ses enfants.

Mithridate
Je n'aime pas les histoires de revenants.

Sauvageau
Les revenants n'aiment pas revenir et préféreraient dormir en paix dans une mort juste. Tu peux toujours essayer de mettre une pierre sur leur tombeau.

Mithridate
Ne te force pas, mon vieux ! Ce n'est pas à Mithridate, roi du Pont, que tu apprendras l'art des exagérations. Ta nouvelle patrie, tu veux rire !

Sauvageau
Elle accepte les enfants que je lui apporte.

Mithridate
Tu es le seul fournisseur.

Sauvageau
On la représente sous la figure d'un homme marchant près d'un agneau.

Mithridate
Un mouton qui commence à être vieux.

Sauvageau
Il n'est pas d'Amérique.

Mithridate
Et l'homme ?

Sauvageau
L'homme avec sa peau de bête, son respect de la parole, ressemble à mon père plus qu'au tien.

Mithridate
Je ne savais pas ça : mon ami Sauvageau descend de Saint Jean-Baptiste !

Sauvageau
Tu peux rire, Mithridate, mais si tu l'avais rencontré, ce saint personnage, penses-tu que tu serais tombé à genoux ? Tu l'aurais pris pour un Sauvage.

Mithridate
Mon Dieu, j'aurais pu me tromper.

Sauvageau
Et son mouton ?

Mithridate
Son mouton ?

Sauvageau
Tu le lui aurais volé !

Mithridate
Bien entendu !

Sauvageau
Alors ?

Mithridate
Il en voit des choses nouvelles, l'oncle, de sa lucarne, au Klendaque ! Je commence à te comprendre, Sauvageau; tu restes sous terre, mais le soleil ne luit que pour toi.

Sauvageau
Le soleil, nos grands tournesols le regardent vous digérer lentement. Le pays, qui nous a faits, vous transforme à notre image. Bientôt, nous dormirons en paix; il ne nous restera de votre origine que le mouton.

Mithridate
Grand oncle du Klendaque, mets ton bélier à la lucarne !

Sauvageau
Dis-moi, Mithridate, sans nous quel sens aurait ta patrie ?

NOLET 6

A Saint-Jean, la troupe s'est emparée des notables Desmarais et Davignon. Elle les emmène à Montréal par le chemin de Chambly. C'est le 17 novembre. Sur l'heure du midi, près de Longueuil, elle est attaquée par Vincent Bonaventure Viger et ses partisans qui délivrent les prisonniers. Les Patriotes à leur tour viennent de passer aux actes. Six jours plus tard, le 23 novembre, ils connaîtront la victoire à Saint-Denis.

SCÈNE SEPTIÈME

(Poutré surgit sur la scène, une fourche à la main.)

Poutré
Il avait raison ! Il a gagné !

Mithridate
Qui ça ? Le bélier ? L'Iroquois ?

Poutré
Le Docteur Chénier.

Mithridate
(montrant le monument) On ne l'avait pas mis là pour rien.

Sauvageau
Que se passe-t-il ?

Poutré
Les Patriotes ont culbuté les Habits Rouges à Saint-Denis. Je n'ai pas trouvé mon fusil. Je viens avec une fourche. Nous allons les engranger.

Sauvageau
Tout beau ! Où avez-vous appris ça ?

Poutré
Je le sais de bonne part. Ils pensaient mettre la main sur nos chefs et les déporter comme des Acadiens. A défaut de Papineau, ils s'étaient emparés de deux notaires à Saint-Jean, qu'ils emmenaient à Montréal par le Chemin Chambly, chargés de chaînes, les pauvres érudits ! Mais, au coin du Côteau Rouge, le Beau Viger les a délivrés. Les Habits Rouges se sont sauvés par les champs comme des chiens. Le Beau Viger était au milieu du Chemin Chambly, son épée à la main, et il riait. Dans la bataille il avait perdu le bout du pouce gauche, au-dessus de l'ongle; il disait : « Nevermagne, il en reste encore assez pour une belle catin. »

Mithridate
Ahouiquahan ! *(En voyageant.)*

Poutré
Du côté de Saint-Denis, c'était toute une armée d'Angliches qui remontaient la rivière des Iroquois. Je ne sais pas s'ils sont tombés sur les Sauvages, mais ils l'ont redescendue comme s'ils avaient eu le Diable dans leurs culottes.

Mithridate
Ça chauffait !

Poutré

Oui, Monsieur, ça chauffait; c'étaient les Canadiens comme moi, qui la tenaient, la fourche du Diable. Au train où ça allait, on peut imaginer que les Angliches en boivent un coup, quelque part entre Sorel et Maskinongé, au milieu de la chasse aux canards. Nous avons gagné ! Le curé de Saint-Denis a pris le vent; il est déjà avec nous. Bientôt, toutes les cloches du Saint-Laurent chanteront. La belle messe qu'on va avoir !

(Poutré entre chez le Docteur Chénier. Il aperçoit le curé, qu'il ne s'attendait pas à y trouver.)

Poutré

Je tombe mal !

Le curé

Ce cher Monsieur Poutré ! Vous avez là une grande fourche !

Poutré

Je n'ai pas trouvé mon fusil.

Le curé

Vous chassez le loup-garou, sans doute.

Poutré

Je venais pour une messe, une messe comme à Saint-Denis. Il n'y a plus de Chouayens, Monsieur le curé. Tout le monde est Patriote. Les Habits Rouges ont été battus. On va pouvoir s'entendre entre Canadiens.

Le curé

Ah !

Poutré

On sait bien que vous étiez avec nous. Seulement, vous ne pouviez pas le laisser paraître; vous avez une église, un presbytère, un couvent; vous ne pouviez pas les exposer.

Le curé

J'aurais cru que vous étiez un partisan de l'ordre, Monsieur Poutré. Du moins, vous me l'aviez toujours dit.

Poutré

Je ne voulais pas vous faire de chagrin.

Le curé

Votre fils Michel, le Chouayen ?

Poutré

Ne m'en parlez pas, il me fera mourir de honte.

Le curé

Ne ressemble-t-il pas à son oncle ?

Poutré

Son portrait tout craché.

Le curé
Vous pourrez peut-être lui donner la lettre que j'avais préparée pour l'autre.

Poutré
J'y ai songé.

Le curé
J'ai connu des voyageurs qui étaient des honnêtes gens, des exilés qui ont fait honneur à leur patrie.

Poutré
Serait-ce, Monsieur le curé, que vous ne me désapprouvez pas ?

Le curé
Pourquoi, Monsieur Poutré ?

Poutré
Pourquoi ? Je vous avais caché mon jeu.

Le curé
Les beaux joueurs ne le montrent pas... Les Patriotes, disiez-vous, ont gagné à Saint-Denis ? Saint-Denis, ce n'est qu'un village.

Poutré
Il y a eu aussi une bataille près de Longueuil; le Beau Viger a délivré deux notaires de Saint-Jean qu'on emmenait enchaînés à Montréal.

Le curé
Ce fut sans doute une grande bataille.

Poutré
Le Beau Viger a eu le pouce gauche coupé au-dessus de l'ongle.

Le curé
Au-dessus de l'ongle ! Juste pour dire que le sang a coulé.

Poutré
Le Beau Viger riait... Enfin, j'étais content d'apprendre ça.

Le curé
Je le suis de même. Monsieur Viger aurait pu perdre le pouce entier, ç'aurait été dommage.

Poutré
Rapport à la catin.

Le curé
Oui, pensez donc !

Poutré
Je n'ai pas l'impression que vous êtes prêt à chanter la messe des Patriotes, Monsieur le curé.

Le curé
Voudriez-vous que je sonne le glas pour le pouce du Beau Viger ?

Poutré
Ouais ! Cette fois, c'est vous qui m'avez.

Le curé
Retournez chez vous. Cette fourche ne vous va pas.
Poutré
Ma foi, je suivrai votre conseil. Merci, Monsieur le curé.
Le curé
Minute ! Vous me payerez les cloches du baptême.
Poutré
Correct.
Le curé
Je passerai voir votre femme un de ces jours, Monsieur Poutré.
Poutré
Nous vous attendrons, Monsieur le curé. Bonjour, Monsieur le curé.
Le curé
Bonjour.

(Poutré sort de la maison.)

Poutré
Une paroisse, deux notaires, le bout d'un pouce; il n'y a pas de quoi se lever de table. J'ai eu la fourche malheureuse. Je payerai les cloches du baptême. Toi, un renard, Félix Poutré ? Un veau, tu es un veau !

SCÈNE HUITIÈME

(entre François avec un fusil)

Poutré
Mon fusil !
François
Eh ! son père, où allez-vous avec votre grande fourche ?
Poutré
Je cours après celui qui a volé mon fusil, bandit !
François
Allons bon !
Poutré
Rends-le moi.
François
Pourquoi faire ? Vous n'êtes pas capable de viser : vous regardez des deux bords.
Poutré
Quoi ?

Mithridate
Il court après les Angliches. Il a fermé son oeil chouayen. C'est un Patriote pure laine. Si tu l'avais entendu raconter la bataille de Saint-Denis, tu serais fier de ton père.

François
C'est vrai, son père ?

Poutré
Ecoute les quêteux si tu veux ! Rends-moi mon fusil d'abord.

François
Commencez par jeter votre fourche.

Poutré
Tiens !

Mithridate
(s'en saisit) Hou ! Hou ! c'est moi le Diable, le Diable au cul !

Poutré
Bandits ! Brigands ! Excommuniés ! Sauvages !

Mithridate
Diable au cul ! Diable au cul !

(Poutré déguerpit.)

François
Je viens de perdre ma bénédiction du jour de l'an !

Mithridate
Bah ! ton père n'est pas de la famille ! Je te bénirai, moi, avec les mains. Lui, il n'a que des mitaines.

François
Avez-vous vu Mademoiselle Elizabeth ?

Mithridate
Canadien errant, veux-tu attacher ton cheval ?

Sauvageau
Elle était tout à l'heure en arrière de la maison avec le Docteur et beaucoup de gens. Les Patriotes ont gagné une bataille à Saint-Denis.

François
C'est donc vrai !

Sauvageau
Elle semblait heureuse.

Mithridate
Elle avait la poitrine bourrée. Je crois que c'est du foin pour le cheval du Canadien errant.

(Ils sortent.)

NOLET 7

La veille à Saint-Denis, Papineau a pris le chemin de l'exil sur le conseil de Nelson :

— Ne vous exposez pas. C'est après les combats que nous aurons besoin de vous.

Des combats, il n'y en aura pas beaucoup, des Victoires, il n'y en aura qu'une, et l'on commettra l'erreur de commencer par elle.
On n'eut même pas le temps de la fêter !
Dès le lendemain, Saint-Charles devait se préparer contre
Witherall sorti du fort de Chambly,

avec six compagnies de fantassins
un détachement de cavalerie
et deux maudits p'tits canons
qui n'annonçaient rien de bon !

SCÈNE NEUVIÈME

Chénier
Excuse-moi, Luc : on ne reçoit pas tous les jours des nouvelles comme je viens d'en avoir.

Le curé
De bonnes nouvelles, je vois. Mais elles étaient à prévoir : ces Anglais avec leur peur de l'hiver ! Oui, ils auront voulu rétablir l'ordre trop vite. De plus, ce sont des étrangers; ils ne savaient sans doute pas que leurs présumés ennemis sont tous des gens de qualité, et bien considérés.

Chénier
Croyais-tu que les Canadiens nous laisseraient emprisonner comme des voleurs ?

Le curé
Ils ont opposé quelque résistance, c'est naturel. Mais il ne faudrait pas trop leur en demander, aux Canadiens. Avec leurs grandes fourches, tu sais . . .

Chénier
Les armes ne font pas tout. Il y a aussi le courage, la voix de son pays . . .

Le curé
Les habitants en guerre, tu vois ça, toi ? La voix du pays ! J'entends, moi, les vaches meugler après le maître des bâtiments, les enfants pleurer, les femmes supplier Dieu de ramener le chef de la famille. La voix de ton pays, écoute-la : elle est dans cette clameur. Je n'ai pas de bonnes nouvelles, moi, les Canadiens ont fait ce qu'ils ont pu. Deux ou trois notaires ont été délivrés : tant mieux pour les notaires ! Tant pis pour le village où la troupe aura été humiliée ! Elle reviendra se venger.

Chénier
Et si la troupe était battue ?

Le curé
Cela se peut une fois.

Chénier
C'est arrivé à Saint-Denis.

Le curé
Tant pis pour Saint-Denis ! Avant les neiges, le pays sera redevenu tranquille. Les chiens s'étonneront d'être seuls au-dehors et n'oseront pas aboyer. On aura peur dans les maisons. Puis la neige tombera. On se détachera peu à peu des malheurs de l'automne et l'on ne comprendra pas que, si peu nombreux, vous ayez fait tant de bruit.

Chénier
Prophétise à ta guise, Luc, mais pour le moment, tout le monde ici est Patriote.

Le curé
Le mois prochain, tout le monde sera Chouayen. On dira de toi : « Chénier est bon médecin. Nous l'aimons bien. Seulement, en politique, il ne valait pas cher. » Et on te pardonnera... Oui, comme on me pardonnerait si vous étiez vainqueur... De quoi te mêles-tu, Jean-Olivier ? Les gens ne nous demandent pas d'être patriotes ou chouayens; ils ont besoin d'un curé et d'un médecin.

Chénier
Luc, tu m'auras gâché une belle journée.

Le curé
Jean-Olivier, je t'en prie : aie le courage d'être un homme comme les autres !

Chénier
Souhaite-moi bonne chance.

Le curé
Je te souhaite longue vie.

Chénier
Adieu !

Le curé
A bientôt.

(Les deux hommes se quittent.)

SCÈNE DIXIÈME

Chénier
Eh ! l'homme, j'ai une question à te poser.

Mithridate
Oui, Docteur.

Chénier
Tu me connais ?

Mithridate
Dame !

(Chénier n'avait pas encore aperçu son monument.)

Mithridate
Quelle question !

Chénier
Je n'avais pas vu ce monument au bout de ma vie. Tout se résout. Je n'ai plus rien à demander... C'était une question futile : je voulais savoir ce que tu penses de la médecine. J'aurais pu être médecin, un simple médecin, traverser la vie avec mon petit portuna à la main et disparaître sans bruit comme un honnête homme.

Mithridate
Vous auriez pu être chinois, être le prince des Illinois, le neveu du pape, le zouave de Garibaldi : tout est possible à l'homme au début de sa carrière, mais au point où vous en êtes, je crois que vous resterez le Docteur Chénier. Oubliez la médecine. De quoi auriez-vous l'air sur votre piédestal, le portuna à la main ?

Chénier
Dis-moi quand même, étranger, ce que tu penses de la médecine. Après tout, j'ai bien failli être médecin !

Mithridate
Ce que je pense de la médecine ? Docteur, je me traite à la robine.

Chénier
Tu t'empoisonnes !

Mithridate
Ainsi je suis sûr de m'appartenir. Je n'ai point d'autres preuves. Le poison me dit que je ne dépends de personne, que je suis libre, que je suis roi, et cela me donne le courage de guérir du poison. Je me nomme Mithridate.

Chénier
M'aurais-tu conseillé, toi, Mithridate, d'être un homme comme les autres ?

Mithridate
Comment l'aurais-je pu ? Je ne suis pas un homme comme les autres. Ce sont les soumis qui prêchent la soumission. Moi, je ne prêche pas : il me suffit d'être ce que je suis.

Chénier
Que penses-tu de moi ?

Mithridate
Au jardin entouré de grands Soleils, où la vie rampe, où les enfants boivent le lait des fleurs, il faut des poussées verticales, des hommes comme des totems qui montent dans le ciel, des morts prodigieux pour écarter la mort et garder à la vie son exquise saveur. *(lui présentant sa bouteille)* Docteur, buvez-en un coup.

Chénier
Pourquoi pas ?

Mithridate
Buvez, c'est atroce.

Chénier
Après ce n'est pas désagréable. Je ressens une sorte de bonheur. Et j'ai le vertige.

Mithridate
C'est l'altitude de votre monument. Regardez : le jardin est en dessous, les enfants boivent le lait des fleurs, la Patrie est sauvée !

Mithridate
Voici le récit de la bataille de Saint-Eustache. L'église restait muette, les Anglais avançaient. Quand ils eurent atteint une distance amicale à portée de fusil, les Patriotes tirèrent, le combat commença.

(Les deux répliques qui suivent sont dites simultanément.)

Chénier
Le temps est doux, demain il neigera. A midi, quand le canon tonnera, la neige l'assourdira. Taisez-vous, c'est Colborne qui salue. Ne lui répondez pas, il salue de trop loin. Nous n'avons pas assez de balles pour les mettre ailleurs que dans la cible. Tant pis pour la politesse ! Gardez l'église intacte et muette. Que les Anglais approchent, grandes taches rouges sur la neige, et nous

leur parlerons. O vous ! Mes braves qui attendez les mains vides, vous prendrez les fusils des morts; il y en aura pour tout le monde.

Mithridate

Les Patriotes tiraient des clochers, des fenêtres, de toutes les ambrasures. Ils étaient cent contre deux mille, il fallait qu'ils se multiplient. Chénier était partout, échevelé, le visage noir de poudre. Un officier anglais le reconnaît et lui crie : « Rendez-vous ! » Chénier répond : « Viens me prendre ! » Et il ajoute un coup de pistolet que l'officier, belle bouche, n'eut pas le temps de digérer. L'argument était sans réplique.

(*Les paroles se perdent dans la musique.*)

FIN DU DEUXIÈME ACTE

ACTE III

NOLET 8

Le 25 novembre 1837, il fait très froid. Witherall, devant Saint-Charles, examine la place, établit sa stratégie. Quand il a fini, il est trois heures de l'après-midi, il dit à son second, le lieutenant Scott :

— Scott, ces gens veulent-ils vraiment la guerre ? Ils ne se dérangent pas d'un village à l'autre. Celui-ci a été abandonné à lui-même... Tant mieux ! Nous allons pouvoir souper en paix.

Là-dessus, il commande l'attaque :

— *But don't forget, lieutenant :* que les meilleures maisons soient épargnées — je n'entends pas grelotter, cette nuit.

Le colonel Witherall soupa à l'heure et dormit au chaud. Pour les Patriotes, Saint-Charles fut un désastre; quelques jours plus tard, le 3 décembre, le général Colborne quitta Montréal : il se rendait à Saint-Eustache.

SCÈNE PREMIÈRE

Mithridate
Le feu prend mal, les feuilles fument. Penses-tu, Sauvageau, que la Patrie est sauvée ?

Sauvageau
Il faudra ajouter d'autres feuilles mortes à celles-là pour que le feu couve longtemps. Oui, la patrie sera sauvée, mais cela ne se fera pas dans une journée. C'est décembre déjà, Mithridate. Dans les jardins, quel désastre !

Mithridate
C'est la fin de l'automne, c'est le désastre de chaque année.
Sauvageau
Mais cette année, derrière la saison, il y a en Saint-Charles la défaite, l'exil, la prison, la mort. Maintenant, toute l'armée anglaise s'est réunie et monte vers Saint-Eustache.
Mithridate
Un feu de pailles mortes n'augure de rien.
Sauvageau
Cela peut se dire.
Mithridate
S'il prend mal, c'est pour couver plus longtemps.
Sauvageau
La saison, elle, dit que si le grain ne meure, il n'y aura point de moisson. Dans l'immédiat, je n'appréhende rien de bon.
Mithridate
Où vas-tu, Sauvageau ?
Sauvageau
Je vais voir ce qui s'en vient... Veux-tu que je salue le général Colborne de ta part, Mithridate ?
Mithridate
Tu lui diras : crotte ! Ça deviendra peut-être un mot historique. Ou plutôt tu lui diras : marde ! Cela fait plus canadien... Ce maudit feu qui ne prend pas !
Sauvageau
Avec Colborne, il prendra peut-être.
Mithridate
Alors va me le chercher, c'est un incendiaire !
Sauvageau
J'y vais, Mithridate. *(Il sort.)*
Mithridate
Quelle triste journée !

SCÈNE DEUXIÈME

Chénier
Quelle triste journée !
François
Mais il ne pleuvra pas.
Chénier
Justement : on dirait que le ciel en est absent : ni soleil, ni pluie; un jour vide et gris, comme abandonné à lui-même.

François
Il fait doux pour la saison.
Chénier
Un temps ni chaud ni froid.
François
Propice au chasseur.
Chénier
Et le gibier, y penses-tu ? Enfin, il faut bien la prendre comme elle vient, cette fameuse journée ... Va me chercher notre prisonnier.
François
Mon père ?
Chénier
Oui, ton père. Mais ne t'inquiète pas : je veux seulement le prêcher.
François
Il ne vous comprendra pas.
Chénier
Que m'importe puisque je m'écouterai parler ! J'en ai beaucoup sur le coeur à me dire, petit ... Ah, ce jour ! Est-ce que le bon Dieu n'aurait pas pu nous donner un rayon de soleil. Il se voile la face. C'est à se demander s'il n'est pas du clergé !
François
Il respecte la chasse, Docteur Chénier.
Chénier
S'il attend sa part de gibier, il se trompe ! François, va me chercher ton père.
François
J'y vais.

(Il sort, mais sans beaucoup d'empressement)

Chénier
(à Elizabeth) Quel temps propice !
Elizabeth
Vous trouvez ?
Chénier
Un temps de chasse.
Elizabeth
J'ai encore rêvé d'incendie.
Chénier
Le feu est de ton âge. Tu brûles de jeunesse, Elizabeth.
Elizabeth
Allez-vous vous retrancher dans l'église ?
Chénier
Oui, nous aurons cette piété.

Elizabeth
Dispersez-vous dans la campagne, on ne fait pas la chasse dans les églises.

Chénier
Les Anglais ne sont pas des lapins.

Elizabeth
Vos coups les égailleront. Ils se disperseront à votre poursuite. Vous connaissez le terrain. Vous pourrez les abattre ainsi l'un après l'autre.

Chénier
Nous les narguerons derrière les murs de l'église. Le temps est doux, mais demain il neigera peut-être. Ils avanceront vers nous comme de grandes taches rouges sur la neige. Ils saigneront avant le premier coup de fusil.

Elizabeth
Mais c'est toujours l'église que je vois brûler; c'est toujours elle, Docteur Chénier ! . . . Vous me garderez avec vous, n'est-ce pas ?

Chénier
Il n'en est pas question : tu partiras avec le curé.

Elizabeth
Je ne veux pas !

Chénier
Je t'envoie en pèlerinage, Elizabeth. On attend de mes nouvelles ici et là dans les comtés. Chemin faisant, tu les apporteras.

Elizabeth
C'est un prétexte pour m'éloigner.

Chénier
Nous sommes aujourd'hui le 14 décembre 1837, date mémorable. L'ennemi nous attaquera dans quelques heures. A partir du 20, j'aurai besoin de renfort.

(Sauvageau entre)

SCÈNE TROISIÈME

Sauvageau
Salut !

Chénier
Sauvageau ! Je te croyais mort.

Sauvageau
J'ai vu le général Colborne. Il est monté sur un cheval blanc. Six canons le précèdent. Et il n'est pas seul !

Chénier
Combien d'hommes ?

Sauvageau
Deux mille, sans compter les irréguliers. C'est la guerre et la chasse qui s'approchent. La guerre en uniforme rouge, la chasse en tenue débraillée. Il y a même là-dedans trois clergymen qui ont déjà tué des nègres et sont très excités, amen.

Chénier
Deux mille cinq cents ?

Sauvageau
A peu près.

Chénier
Sauvageau, tu me redonnes la vie.

Elizabeth
Je ne trouve rien d'encourageant dans cette nouvelle : deux mille hommes en uniforme sans compter les irréguliers comme des chiens qu'attire la curée . . .

Chénier
Et les trois clergymen qui ont déjà tué des nègres.

Sauvageau
Amen.

Elizabeth
Rien d'encourageant, je vous assure.

Chénier
Nous les persuaderons d'être moins nombreux. Cela nous sera plus facile qu'à eux; nous sommes déjà si peu.

Sauvageau
Combien ?

Chénier
Deux cents.

Elizabeth
Et vous n'avez pas encore d'armes pour tous !

Chénier
Les morts laisseront leurs fusils à ceux qui n'en ont pas. Deux mille hommes — au diable les irréguliers et les trois clergymen ! — Deux mille hommes, comprends-tu, Elizabeth; c'est toute la garnison anglaise ! En les attirant ici, nous avons libéré le pays.

Elizabeth
Le pays, qu'en reste-t-il ? Papineau est en exil, Nelson en prison; où sont les beaux jours de Saint-Denis ? On n'entend plus que la voix des curés qui prêchent la soumission.

Chénier
Les cendres sont encore rouges; au moindre souffle, la révolte reprendra. Qui l'empêchera désormais de se propager si Colborne est retenu à Saint-Eustache ?

Elizabeth
(faiblement) Ne parlez pas de feu, Docteur Chénier !

Chénier
Les Anglais ont des canons, nous manquons de fusils. Ils viennent dix contre un. Ils ont des uniformes, la guerre est leur métier; nous sommes des braconniers remplis d'étonnement : c'est la première fois que nous prenons l'homme pour gibier. Contre un général, qui était à Waterloo, sur ce continent de la mort qu'on appelle l'Europe, j'oppose un capitaine qui ne connaît que le sang des accouchées. La situation est meilleure que jamais. Dis-moi, Sauvageau; comment était le visage de Colborne ?

Sauvageau
Ses officiers riaient. Lui, il était soucieux.

Chénier
Tu vois, Elizabeth ! Le pauvre homme !

Elizabeth
Il n'aura pas, lui, pitié de vous.

Chénier
Il est le plus faible. C'est la force qui me rend généreux. Nous nous dressons sur une terre familière; nos pères y dorment; ils nous attendent; mourir n'est pas difficile. Nous sommes au coeur d'un pays qui est nôtre, qui nous enveloppe de sa sympathie. Colborne est à mille lieues des siens, Noël approche, il s'en éloigne dans une plaine grise; son cheval blanc voit la neige s'abîmer sous ses pas dans la boue. Plus il avance, plus la haine l'enserre. Comme la mer est loin, et le bateau qui l'aurait ramené en Angleterre !

Elizabeth
Ses officiers riaient.

Chénier
Ils sont jeunes, ils ne comprennent pas. Ils croient venir à Saint-Eustache donner le coup de grâce à une rébellion expirante. Dans une semaine, ils riront moins quand ils verront derrière leurs feux de bivouac s'allumer d'autres feux plus nombreux d'une nuit à l'autre et qu'ils entendront hurler les loups; des feux qui seront nôtres et qu'ils confondront parfois avec ceux des étoiles. Alors le ciel leur semblera hostile; ils chercheront en vain les astres de leurs Noëls perdus. Nous tiendrons, Elizabeth !

Elizabeth
Je le demande à Dieu.

Chénier
Les yeux sont maintenant tournés vers nous. De Québec à Montréal, de l'Outaouais au Richelieu, de tous les villages, de tous les hameaux, on regarde vers Saint-Eustache. Dans chaque maison on a baissé la lampe. On a vu les Anglais nous encercler. On verra notre résistance. Quand nous aurons tenu une semaine, le pays ne pourra plus tenir; partout, des bandes se formeront pour venir voir de plus près ce qui se passe ici. Les loups de la nuit blanche seront nos frères.

Elizabeth
Je partirai, Docteur.

Chénier
Je ne t'éloigne pas, Elizabeth; tu serais digne de mourir autant que quiconque ici. J'envoie une colombe à la recherche de l'olivier. Quand tu reviendras, nous sortirons de Saint-Eustache; François prendra mon bras; nous irons à ta rencontre sous l'arc-en-ciel de la victoire.

Elizabeth
Je vais me préparer.

Chénier
Mets une robe noire.

Elizabeth
Une robe noire ?

Chénier
Oui, puisque tu accompagneras le curé.

Sauvageau
Cela vaut mieux que de mettre une robe rouge pour aller au-devant de trois clergymen qui ont déjà tué des nègres et que l'odeur du sang ramène, amen.

Elizabeth
Je mettrai donc une robe noire.

(Elizabeth sort)

NOLET 9

Chénier a rendez vous avec le destin,
il le sait,
de tous les Patriotes le seul à le savoir,
pour cela le plus grand.

Il s'en est remis à son coeur qui le guide comme il bat,
aveuglément;
il goûte la chaleur de son sang
— c'est le coeur et le sang de son pays;
il fait corps avec lui.

On peut parler d'héroïsme.
Mais il ne s'est jamais soucié d'une telle considération.
Il lui a suffi d'être Jean-Olivier Chénier,
chef de partisans,
qui attendait l'envoyé du Destin,
le général Colborne.

SCÈNE QUATRIÈME

Sauvageau
Vous êtes triste.

Chénier
Ce sont ces nuages gris. J'aurais aimé voir le soleil une dernière fois.

Sauvageau
Pourquoi le soleil ? Les tournesols ne le suivent déjà plus, c'est qu'il n'a plus rien à leur donner. Leurs fleurs ont tourné à la graine et penchent vers la terre. L'espoir tombe et cherche à s'ensevelir : ne faut-il pas mourir pour renaître ? Le soleil ! mais il n'est plus qu'une grande corolle vide, une nacelle abandonnée, un astre mort et trompeur. Ne vous plaignez pas des nuages : ils sont la décence de la saison.

Chénier
Sauvageau, mon frère, je ne suis pas immémorial comme toi. Et je n'ai pas su me diversifier. Je suis l'homme d'une seule vie, d'une vie qui n'est pas encore longue et qui me tient de court. Alors, tu comprends, j'ai du mal à me livrer à la patience de tes rythmes séculaires, à ouvrir mes yeux aux vues d'une sagesse qui trouve la mort dans la vie et la vie au-delà de la mort. Je me serais contenté d'un soleil immédiat, même déserté, même illusoire. Je viens de trop près pour avoir longue vue. Il me semble que j'entends encore parler ma mère. *(Il se retourne brusquement)* Elle aurait pu être là, tout près, derrière mon oreille.

Sauvageau
Elle n'y est plus.

Chénier
Je vois. Toute sa vie, alors, est en moi. Pourquoi me parle-t-on de mort ? Je suis en bonne santé.

Sauvageau
En bonne santé ? C'est bien possible. Vous devez vous y connaître puisque vous êtes médecin ! *(Il rit)*

Chénier
Pourquoi ris-tu, Sauvageau ?

Sauvageau
Docteur Chénier, vous n'êtes tout de même pas pour vous ausculter pendant la bataille !

Chénier
La bataille, je m'en passerais bien.

Sauvageau
Facile à dire à présent qu'elle est engagée.

Chénier
Au fond, dis-moi : qu'est-ce qu'elle représente au juste, cette bataille ?

Sauvageau
Un vieux combat, celui de la vie et de la mort. C'est toujours le même, c'est toujours le seul combat. Et il faut, pour triompher de la mort, le coeur d'un homme jeune. Un coeur qui bat à tout rompre, même sa propre écorce. Vous avez choisi pour maîtresse votre pays.

Chénier
Pour maîtresse !

Sauvageau
Oui. Or, il n'y a qu'un moyen de la posséder : de mourir sur elle.

Chénier
Je n'étais quand même pas préparé à cette noce.

Sauvageau
Le pensez-vous vraiment ?

Chénier
Vraiment ? Non, pas tout à fait.

Sauvageau
Vous vous teniez prêt; vous attendiez cet appel d'une femme dans la nuit, sourd, plaintif, irrésistible, ce coup d'archet qui fait vibrer le monde comme un grand violoncelle. A-t-on déjà vu homme de bonne constitution ne pas répondre à cet appel ?

Chénier
Non, bien sûr. J'aurais quand même préféré répondre à celui de la louve; il se répète de saison en saison, tandis que celui-là sera unique.

Sauvageau
Ce qui s'ensuivra sera bref.

Chénier
Je ne le sais que trop, hélas !

Sauvageau
Vous ne tiendrez même pas une seule journée.

Chénier
Ça aussi, je le sais. J'aurais quand même rêvé d'une patrie plus caressante et moins pressée, et d'un plus long combat. Les feux sur les collines, plus nombreux d'une nuit à l'autre et cernant ceux de l'ennemi, ces feux, constellations de mon pays, j'aurais aimé les voir.

Sauvageau
D'autres les verront.

Chénier
Je me le dis.

Sauvageau
L'hiver n'a jamais empêché le retour du printemps.

Chénier
L'hiver sera peut-être long.

Sauvageau
Les morts sont patients; d'autres soleils fleuriront; ils verront la patrie que vous aurez fait naître.

Chénier
Que j'aurai fait naître ? Oh, je n'en demande pas tant !

Sauvageau
La patrie que vous aurez tirée de sa vierge confusion et par vous qui se sera connue.

Chénier
Tout au plus l'aurai-je annoncée de loin, de très loin. Quand elle surgira, tout entière réunie à elle-même, se souviendra-t-on même de moi ?

Sauvageau
Si l'on vous a oublié, elle attendra derrière les collines que votre mémoire revienne. Quand les feux s'allumeront, ils brilleront pour vous.

Chénier
Que sommes-nous, Sauvageau, pour prétendre à cette gloire ? Une poignée d'indésirables. J'ai dit tout à l'heure à Elizabeth que tout le pays n'avait de regard que pour nous : bien sûr, parce que nous allons tenter l'impossible; le saut de la mort retient toujours l'attention. Il y a dans ce regard de l'admiration, de la reconnaissance, peut-être; il y a aussi du mépris, de la honte; il y a de la haine.

Sauvageau
De la haine ? Elle vient de ceux qui ne se voient pas, car s'ils se voyaient, ils se détesteraient eux-mêmes.

Chénier
Nous allons tenter de sauver la Patrie au détriment de notre honneur, de notre vie, de notre âme : n'est-ce pas scandaleux ? Que diront les prudents et les sages ? Ne disent-ils pas déjà que nous sommes des brigands ?

Sauvageau
Ils se tairont avant vous.

Chénier
Nous mourrons; eux, ils restent.

Sauvageau
Ils restent pour mieux pourrir.

Chénier
Combien de temps pourriront-ils ?

Sauvageau
Ils pourriraient cent trente ans que cela ne changerait rien. Ayez confiance : on peut tromper les vivants, on ne trahit pas les morts : ce sont eux qui font les mondes.

Chénier
Tu cherches à me rassurer, Sauvageau; je te remercie.

Sauvageau
Mais regardez donc dans mon sac ! On y voit mieux que dans le ciel.

Chénier
Que d'enfants perdus !

Sauvageau
Vous avez parlé vous-même de honte, de mépris, de haine; quelques générations en sont marquées.
Chénier
Maudits Chouayens ! Ce n'est pas contre les Anglais, c'est contre vous que je devrais porter les armes !
Sauvageau
Les générations passent vite; regardez au-delà des nuages, la trouée est lumineuse : tout s'arrange.
Chénier
A quel prix !

SCÈNE CINQUIÈME

(François revient avec Poutré, qu'il pousse du bout de son fusil.)

Poutré
Misérable, tu as levé la main contre ton père !
Chénier
La main ! C'est le pied que tu mériterais.
François
Restez tranquille, son père. Je ne voudrais pas devenir orphelin, j'en aurais du chagrin.
Poutré
Fils dégénéré, pourquoi t'ai-je donné la vie ?
Chénier
Ecoutez donc, Poutré, je ne vous ai pas fait venir pour jouer les pères outragés.
Poutré
Que me voulez-vous ?
Chénier
On dit que vous êtes un beau danseur, un maître en pirouettes, que vous tournez si vite que les Chouayens vous trouvent un derrière loyaliste alors même que vous faites risette aux Patriotes. Et vice-versa. Je ne voulais pas mourir sans vous avoir vu giguer. Un homme à deux derrières, pensez donc !
Poutré
Je ne suis pas un bouffon.
Chénier
Un homme à deux faces, passe encore, mais à deux derrières ! Comment faites-vous pour vous asseoir ?

Poutré
Je vous ai dit, Docteur Chénier, que je n'étais pas un bouffon. Je tiens feu et lieu. Je suis maître chez moi. J'ai des animaux . . .

Chénier
Je ne vous demande pas ce que vous êtes allé faire du côté des Anglais. Dansez seulement.

(On attaquera à ce moment un air de gigue)

Poutré
Je vous ai toujours bien traité, Docteur Chénier.

Chénier
Dansez, Monsieur Poutré. Vous vous en tirerez encore une fois avec une pirouette.

Poutré
Que voulez-vous que je vous danse ?

Chénier
La gigue du chien à trois yeux.

Poutré
Donnez-moi un bâton.

Chénier
Pourquoi, un bâton ?

François
Parce que c'est le chien du chasseur qui cherche à tuer l'oiseau moqueur.

Chénier
Un fusil fera mieux; donne-lui le tien, François. *(François donne le fusil à son père.)*

Poutré
Ne bougez pas, je tire !

Sauvageau
Tirez si ça vous plaît : le fusil n'est pas chargé. Essayez-le contre moi, ainsi, le canon sur le coeur. Allez, tirez ! Mais tirez donc !

(Poutré ne tire pas, abaisse l'arme; et François la reprend)

François
Merci, son père.

(Il la lui décharge dans les jambes; Poutré fait un saut de tous les diables.)

Sauvageau
Hou ! Hou !

François
Bravo, son père.

Chénier
Eh ! Vous sautez haut, Monsieur Poutré !

Poutré
Que me voulez-vous, Docteur Chénier ? Je ne vous ai jamais rien fait.

Chénier
Qu'étiez-vous allé faire du côté des Anglais ? Souhaiter la bienvenue au général Colborne ?

Poutré
J'étais allé aux nouvelles. Quand je les ai vus, j'ai eu peur, je suis revenu.

Chénier
Vous avez eu peur ?

Poutré
Oui, j'ai eu peur.

Chénier
Cela se peut-il ? De si braves gens, ces Anglais !

Sauvageau
Et encore sont-ils accompagnés de trois clergymen qui ont déjà tué des nègres.

Chénier
Amen.

Poutré
J'avais oublié que je ne parlais pas leur langue. Comment me serais-je expliqué ? J'ai eu peur, je me suis sauvé. Ils ont tiré sur moi.

Chénier
Vous avez craint qu'ils ne vous prissent pour un Patriote et qu'ils ne vous fusillassent sur le champ.

Poutré
Cela se peut.

Chénier
Nous, nous vous avons pris pour un traître. Etes-vous plus avancé ?

Poutré
Vous n'allez pas me tuer ? François, je suis ton père !

François
On le sait.

Chénier
Au fond qui êtes-vous, Félix Poutré ?

Poutré
Qui je suis ? Un pauvre homme, qui cherche à protéger le peu de biens qu'il a, sa famille, ses animaux, ses bâtiments; ni Patriote, ni Chouayen, demandez-le à mon garçon; un habitant pure laine.

François
Il dit la vérité.

Chénier
Un intrus, qui s'est emparé du pays et qui ne se reconnaît pas de patrie; qui va à gauche, à droite, au plus fort; qui ne connaît que son intérêt; une sorte d'ennemi public !

Poutré
Ce n'est toujours pas de ma faute si je suis un habitant.

Chénier
Jamais une nation ne pourra se fonder sur une engeance pareille ! Une engeance de manants, de croquants, de vilains. Et ça se prend pour des messieurs !

Poutré
Je me suis toujours respecté.

Chénier
L'habit noir, le cou raide, la face endimanchée, ça vient vous réciter des litanies de phrases creuses : « Je ne dois rien à personne. »

Poutré
Je ne dois rien à personne.

Chénier
« Je me suis toujours respecté. »

Poutré
Je me suis toujours respecté.

Chénier
« Je n'ai pas d'autre maître que Dieu. »

Poutré
Ah ! ben ça.

Chénier
Taisez-vous ! Vous ne savez pas ce que vous dites.

Poutré
J'élève dix-sept enfants.

Chénier
La belle prouesse ! Ce n'est pas une famille; c'est de la main-d'oeuvre gratuite. Sur dix-sept, il y en a un qui vous succèdera sur votre belle terre du bon Dieu. Et les autres ?

Poutré
Je les rendrai à leur grosseur.

Chénier
Ils deviendront des proscrits. Après avoir été pour leur père de la main-d'oeuvre gratuite, ils feront de la main-d'oeuvre pas cher, des serviteurs, des mercenaires, des esclaves. Ils mangeront de la misère à la grandeur de l'Amérique. Pour se consoler, ils monteront à la lucarne du Farouest, sur les toits des filatures, aux cheminées du ciel, et de là, ils contempleront le beau pays dont ils auront été chassés par une poignée de paysans arriérés !

Ah ! ce n'est pas de votre faute, Félix Poutré, si vous êtes un habitant ! Et les animaux malfaisants que l'on tue, est-ce leur faute ?

(Félix Poutré recule, Sauvageau lui barre les jambes, le voici sur le dos, qui gigote, les pattes en l'air.)

Poutré

Au secours ! Ne me touchez pas !

Chénier

Vous n'avez pas honte de gigoter ainsi ! Ce ne sont pas des manières ! Relevez-vous, je vous prie.

(Poutré veut se relever)

Sauvageau

Non, à quatre pattes, Monsieur Poutré.

(Un temps, Poutré avance à quatre pattes.)

Chénier

Allez-vous en; je vous ai assez vu.

(Poutré veut se lever.)

Sauvageau

Non, à quatre pattes, Monsieur Poutré.

(Félix Poutré s'en va donc à quatre pattes. Le curé qui survient accompagné d'Elizabeth, ne verra pas cette scène disgracieuse.)

SCÈNE SIXIÈME

Sauvageau

(qui s'est avancé vers les coulisses) Il galope !

Chénier

Cours après.

Sauvageau

Je ne pourrais le rejoindre, le pauvre homme ! D'ailleurs, entre nous, Docteur Chénier, a-t-il complètement tort d'être ce qu'il est et de rester confiné dans le quotidien quand l'histoire, au point où vous en êtes, n'est encore qu'une promesse ?

Chénier

Non, je sais. Tu m'excuseras, François. Mais au point où j'en suis, justement, je pouvais me permettre le répit de parler en vainqueur.

François
Vainqueur, vous auriez vu mon père, la fourche haute, le premier à vos côtés.

Chénier
Disons que je me suis vengé de ne l'être pas encore.

Sauvageau
Hélas ! Vous venez de perdre votre cheval, Monsieur le curé.

Le curé
Bah ! j'irai à pied.

Chénier
Vous irez à pied ? Mon Dieu, c'est une idée, une bonne idée. Le cheval était dangereux.

Le curé
Non, hargneux seulement. Toi, Jean-Olivier, tu n'étais pas si bien monté ! . . . Où donc es-tu rendu ? Comment cela finira-t-il ?

Chénier
Le mieux du monde . . . Luc, nous n'avons pas besoin de toi ici. Tu emmèneras Elizabeth.

Le curé
Cela va de soi. M'a-t-elle jamais quitté ? Elle est ma nièce.

Elizabeth
Moi ?

Chénier
Les Angliches ne pourront pas dire le contraire.

Le curé
Je vous l'apprends.

Elizabeth
Merci, Monsieur le curé.

Le curé
Dites : « mon oncle »; vous le croirez mieux.

SCÈNE SEPTIÈME

(Le curé entraîne Chénier à l'écart)

Elizabeth
S'il est mon oncle, pourquoi a-t-il entraîné le docteur dans l'ombre ? Son tour d'abord; après le mien. Je serai veuve sans avoir été fiancée. J'ai déjà mis ma robe noire.

François
Mademoiselle, qu'avez-vous donc ? Je suis là et nous nous voyons peut-être pour la dernière fois !

Elizabeth

Pourquoi nous avoir laissés seuls ? Nous n'allons pas ensemble, mais chacun de notre côté. Vous avec votre grand fusil, moi dans ma robe noire. C'est fini : nous sommes déjà partis. Seuls nos ombres sont restées.

François

Que voulez-vous dire ? Je ne comprends pas, Mademoiselle.

Elizabeth

Je me trompe peut-être . . . Eloignez-vous, François Poutré.

François

M'éloigner ?

Elizabeth

Oui, que je vous voie . . . Encore un peu . . . Faites-le, je vous en supplie ! . . . Encore.

François

Elizabeth !

Elizabeth

Restez où vous êtes, car j'ai aussi à me voir et à me réfléchir. N'approchez plus : je ne suis que le reflet du miroir. Quelle différence entre nous ! Vous êtes vrai, vous êtes simple et de bon vouloir; votre seul embarras est d'être un garçon encore dans l'embarras de soi; il est en vous et le mien est ailleurs.

François

Elizabeth, ma seule peine est de vous voir partir.

Elizabeth

Je suis déchirée autrement, François. Mon mal est de quitter une maison, un homme plus qu'un père, un homme dont ma tendresse aura voulu la perte. Pourquoi ? Pour des idées. Le beau prétexte ! Il cachait ma raison de le perdre. Moi, des idées ? J'étais folle, j'étais rousse, j'étais d'une autre nation, j'étais d'un autre sexe . . . Qu'est-ce que j'ai fait ? Ah ! Qu'est-ce que j'ai fait ? Mes idées, c'étaient les tiennes, Chénier ! Homme incertain, tu t'efforçais de penser de ton mieux et c'était pour ton pays. Tes idées, je les ai reprises comme des armes et retournées contre toi qui ne m'avait rien fait, oh ! presque rien ! Un prétexte pour mettre fin à un impossible attachement. C'était lui, ma raison secrète . . . Ah ! qu'est-ce que j'ai fait ! Je suis devenue servante de la guerre, usurpatrice de la mort, et pourtant, pourtant je n'ai rien fait de plus que les filles pour le père qu'elles aiment quand elles le quittent, sans l'obliger à mourir !

François
Mais s'il mourait en l'occurrence, elles s'accuseraient de sa mort, comme vous faites, Elizabeth. Jurez-moi d'être heureuse et partez simplement.

Elizabeth
Heureuse, pourquoi pas ? Ne serez-vous pas vainqueur ?

François
Vainqueur, assurément, car vous m'avez rendu heureux.

Elizabeth
Moi, François ? Comment ? . . . Est-il possible ?

François
Vous avez entrevu un peu de bonheur avec moi. C'est plus que j'en avais l'espoir.

Elizabeth
Vous avez l'espoir modeste, François, mais le désir plus grand.

François
Vous, me quitter, Elizabeth, pensez-vous ? Je ne vous oublierai plus, rien n'y changera, que je vous retrouve ou pas.

Elizabeth
Ah ! François, si j'étais vraiment anglaise, vous seriez sûr de la victoire !

(Elle se fera humble et touchera au grand fusil de nouveau, doucement il n'en faudra pas davantage pour assurer la félicité de François et pour les faire taire tous les deux, vu que leur scène est finie.)

(Le curé et Chénier reviennent)

Chénier
Non, Luc : il n'est pas question que je me soumette.

Le curé
Je t'ai dit ce que je devais te dire, Jean-Olivier. Je n'insiste pas. Je te garde mon amitié. Que Dieu . . .

Chénier
Cette excommunication te gêne ! Tu n'es plus sûr de tes formules.

Le curé
Bah ! Dieu n'est pas soumis aux évêques. J'ai le droit de dire : Que Dieu te protège !

Chénier
Merci, Luc. Et si j'en ai le droit, jc fais le même souhait.

(Les deux hommes s'embrassent)

Le curé
Venez, Elizabeth.

Elizabeth
Docteur Chénier, le message.

Chénier
Le voici. Et qu'il soit bien entendu : je ne veux pas de renfort avant une semaine.

Le curé
Tu gardes espoir, Jean-Olivier ?

Chénier
Je n'ai jamais perdu espoir.

Le curé
Venez, mon enfant.

Elizabeth
Docteur Chénier !

Chénier
Sois courageuse, Elizabeth ! Va. Va vite, je t'en supplie.

(François tente en vain de donner la main à Elizabeth qui sort avec le curé.)

SCÈNE HUITIÈME

Chénier
(prenant le bras de François) Elle reviendra. Nous irons à sa rencontre. Je serai vieux, tu me prendras le bras. Et nous porterons des chapeaux d'Anglais.

Sauvageau
Dommage que la coutume soit passée de lever le scalp ! Je vous verrais mieux, moi, chacun avec un grand collier de tignasses rouges.

François
Je me contenterais de la tonsure des trois clergymen qui ont déjà tué des nègres.

Sauvageau
Tu es trop vieux, toi, mon garçon ! Car imagine-toi donc : c'est de ton sang qu'ils ont soif, les bons apôtres. Et s'ils l'ont jamais, ils le boiront en dansant Holly Christ.

François
Ils le danseront à ma ceinture.

Chénier
Amen.

François
Ça, je le jure !

Sauvageau
Que Dieu t'entende ! Adieu et bonne chance. Je m'en vais à mon tour : il n'y aura pas de naissance aujourd'hui, je pense.

Chénier
Adieu, Sauvageau. Prends bien garde à ton sac : tu portes l'avenir.

(Sauvageau s'apprête à sortir)

Chénier
Sauvageau ! Sauvageau, c'est quand même beau, un enfant qui n'a pas fini de naître et qui se met à crier, fâché de tout son être.

Sauvageau
C'est la seule façon de commencer.

Chénier
La mère, toute pâle à ses côtés, n'a pas encore le coeur à le calmer et sourit à sa colère. Il crie pour lui, il crie pour elle qui a crié pour lui; il crie pour tout le monde et les dieux sont sans doute étonnés de tant de colère et de tant de faiblesse.

Sauvageau
La vie est chose étonnante, en effet. Il n'y a que la mort qui l'égale.

Mithridate
(survenu en l'occurrence) Sauf que le macchabée, lui, ne crie pas.

Chénier
Il est peut-être content.

Sauvageau
Peut-être. *(Et Sauvageau sortira sur ce mot.)*

Mithridate
Content ? Quelle drôle d'idée ! Mais il en faut, il en faut, de ces idées-là, pour bavarder dans l'intervalle. C'est ça qui m'étonne, moi.

Chénier
Qu'est-ce qui t'étonne, Mithridate ?

Mithridate
Qu'entre le cri de l'enfant et le silence des morts, on soit si futile.

Chénier
Pas toujours.

Mithridate
Par bonheur, il y a des moments comme celui-ci.

Chénier
Si courts !

Mithridate
Inoubliables.

François
Entendez-vous ?

Chénier
On dirait des bruits de bottes.

Mithridate
Ce sont les Anglais qui entrent à Saint-Eustache. Docteur Chénier, votre destin vous attend.

Chénier
Enfin ! *(Et Chénier sortira)*

Mithridate
(à François) Où vas-tu, Canadien errant ?

François
Je vais à la guerre.

Mithridate
Prends ton temps, vise bien, ne manque pas ton coup. C'est précieux, une guerre qu'on fait pour soi. Tu n'en verras pas tous les jours. Va, je t'attendrai.

François
Si je reviens, ça ne sera pas pour vous.

Mithridate
Je t'attendrai quand même, petit.

(François sort avec son grand fusil)

SCÈNE NEUVIÈME

Mithridate
Voici le récit de la bataille de Saint-Eustache. Les Patriotes s'étaient retranchés dans l'église. A midi le canon tonna; Colborne saluait. On ne répondit pas; il saluait de trop loin. Les balles étaient rares; on en était avare; on voulait les placer, mais à coup sûr. Les Anglais s'approchèrent donc au milieu du silence. Cependant, Chénier disait aux braves qui se plaignaient tout bas de rester les mains vides : « Vous prendrez les fusils des morts; il y en aura pour tout le monde. » Quand l'ennemi eut atteint une distance amicale, les Patriotes tirèrent, le combat commença. Les Patriotes tiraient des clochers, des fenêtres, de toutes les embrasures. Ils étaient cent contre deux mille, il fallait qu'ils se multiplient. Chénier était partout, échevelé, le visage noir de poudre. Un officier anglais l'aperçoit et lui crie : « Rendez-vous ! » Chénier répond : « Viens me prendre ». Et il ajoute un coup de pistolet que l'officier, belle bouche, n'eut

pas le temps de digérer; l'argument était sans réplique. Mais les canons avaient leur mot à dire; soudain, un énorme boulet fracasse la grand'porte de l'église. Les assiégeants s'élancent par la trouée; la nef est envahie. « Hardi, s'écrie Chénier, montrons-leur qui nous sommes ! » Des clochers, des jubés, les Patriotes dégringolent. Ce fut une belle mêlée. Les morts gardèrent leurs fusils. On se battit à coup de poing, à coup de pied. Les Anglais ne connaissaient pas cette guerre; ils se demandaient quelle sorte d'enragés leur étaient tombés sur la tête. Ils retraitèrent; la grand'porte n'était pas assez grande pour les laisser sortir à leur guise. « Victoire, cria Chénier, Victoire ! » Il était entouré de flammes, l'église brûlait.

FIN DU TROISIÈME ACTE

ACTE IV

SCÈNE PREMIÈRE

François
Eh bien ! je t'écoute, accouche. Tu étais bien parti. Continue-là, ta petite récitation patriotique et édifiante. Le coq a chanté mais la poule n'avait pas pondu. « Victoire ! Victoire ! » cria le dénommé Chénier. Il avait l'air fin : non seulement la poule n'avait pondu, mais le poulailler brûlait.
Mithridate
C'était l'église, l'église de Saint-Eustache. Chénier était entouré de flammes. *(A François)* Oui, il a crié : Victoire !
François
Continue, ça m'intéresse : j'ai vu des choses du genre en Corée.
Mithridate
Chénier ouvrit la bouche pour crier une troisième fois : « Victoire ! »
François
Trois fois comme le coq.
Mithridate
Il aperçut les flammes et il resta sans voix.
François
Il était cuit !
Mithridate
(au public) Il était cuit ! *(à lui-même)* Il était cuit ! *(Mithridate parle si simplement qu'il ne provoque pas la riposte. François s'éloigne, songeur, puis il revient sur Mithridate.)*
François
Cette idée aussi de s'embusquer dans une église ! A la guerre il ne faut jamais aller dans les églises : ce sont de grands bateaux échoués, qui restent échoués, qui ne décollent pas, qui ne partiront jamais, qui n'ont jamais sauvé personne, personne m'entends-tu ?
Mithridate
Je t'entends, crie pas.
François
Mais ils sont incorrigibles, les hommes. On dirait, ma foi, des fourmis réglées une fois pour toutes, qui ne peuvent plus apprendre.

Mithridate
Apprendre quoi ?

François
Ce que je viens de te dire : à la guerre, ne pas aller dans les églises. Mais ils y reviennent toujours au terme de batailles perdues.

Mithridate
Ils sont gens de paix, comment sauraient-ils ? Ils font la guerre pour la première fois.

François
Et pour la dernière, les imbéciles ! Ils sont battus, finis, mais dans l'église ils reprennent espoir; ils s'imaginent que l'Amiral va faire voguer le bateau, mettre toutes les machines en marche, les transborder de l'autre côté de la défaite, du feu et de la mort, sur la rive d'en face, sur la rive épargnée par la guerre, sur la rive toute verte avec des petites vaches grosses comme ça, qui broutent la prairie et la gardent lisse comme un tapis de paradis. C'est pour imaginer ça qu'ils se sont enfournés dans la pagode, dans l'église, dans l'arche du bon Dieu et du dernier espoir. Je les ai vus faire, les miteux, les dérisoires, pressés comme tout, cette fois-là, d'aller à la messe. Et le padre aussi les a vus faire, à côté de moi, pas tellement fier d'être militaire ! Et pas tellement fier non plus d'être curé, car il sait bien, lui, que le bateau ne partira pas. Le déluge, c'était trop beau. La terre est sèche depuis. Même que s'il restait de l'eau autour du bateau, l'Amiral la boirait. Au fond, c'est un incendiaire.

Mithridate
Et puis ?

François
Et puis, quand le fourneau est prêt, on l'allume gentiment avec une allumette, et les Coréens, qui demandaient le ciel, ils brûlent comme des damnés.

Mithridate
Les Anglais cernaient la pagode. Quand un Patriote s'échappait des flammes, ils tiraient sur lui.

François
C'est régulier. Mais tout dépend : quand le Patriote sort bien allumé, on le laisse tout simplement flamber : il en gueule un coup contre l'Amiral, puis il s'éteint avec son cri. Le padre, à côté de moi, il avait l'air d'un cave, sa petite fiole d'eau bénite à la main. Je lui passais mon flasque . . . Descends donc : il m'en reste une goutte; descends et bois, descends mais je t'avertis : c'est du fort.

Mithridate
Merci de me l'avoir dit, autrement je ne m'en serais pas aperçu : c'est un fort qui la cache bien, sa force. *(Il boit.)*

(François tend la main vers son flasque. Avant de le lui rendre, Mithridate le videra.)

François
Cochon, tu vas te saouler !

Mithridate
Il n'y a rien dans ça. *(Ce disant, Mithridate regarde la bouteille.)*

François
Je comprends : tu me l'as vidée.

Mithridate
Vidée de quoi ? Vidée de rien . . . cher petit garçon, tu te saoules peut-être de peu, mais moi, je ne me saoule pas de rien. Ça ne me semblerait pas chrétien. « Attention, » que tu m'avais dit, « c'est du fort ».

François
C'en était. Navy rhum, l'ancre et trois étoiles.

Mithridate
Je goûte : une boisson hygiénique, peut-être du Kik ou du Pepsi, en tout cas, pas robineuse pour une once. Je ne mets pas ta parole en doute pour autant, non : je fais confiance au voyageur, moi, surtout à un voyageur comme toi qui revient de Corée, et je me dis que le fort, il est peut-être au fond de la bouteille. Je la descends donc, mais je n'avais pas fini que tu gueulais déjà : « Cochon, tu vas te saouler ! » Me saouler, bien d'accord, tu n'avais pas besoin de crier, je continue. Seulement, rendu au fond, le fort, je ne l'avais pas trouvé.

François
Un beau cochon, voilà ce que tu es !

Mithridate
On a beau être cochon et plein de bonne volonté, mon cher petit garçon, on ne se saoule pas de rien. Es-tu bien sûr que le padre ne t'ait pas refilé sa fiole ? Echange de bons procédés. Cela se pourrait et cela expliquerait que je ne l'aie pas trouvé, le fort, dans l'eau bénite . . . Tiens, reprends ton pieux récipient.

(François le reprend, mais c'est pour le jeter loin de lui, avec colère.)

Mithridate
Revenir de la Corée avec une burette de son padre, eh ! tu es mignon, toi, petit.

François
Tais-toi ou je te tire !

Mithridate
Et ça passe d'instinct de la burette au fusil.
François
Tais-toi ! *(Il tire, le fusil fait clic.)*
Mithridate
Bien visé !
François
Maudite ferraille ! C'est tout rouillé. *(Il jette sa ferraille.)*
Mithridate
La prochaine fois que tu seras mercenaire, fais-toi donner un pistolet à eau, c'est en plastique, ça ne rouille pas.
François
Dis donc : voudrais-tu par hasard que je me serve de mes mains ?

(Il le malmène un peu. Il malmène Mithridate qui n'est pas de taille à se défendre. C'est vite fait et Mithridate semble se compter chanceux de se retrouver indemne sur le banc.)

François
Tu es saoul : tu te tiens pas sur tes jambes.
Mithridate
Pourquoi tiendrais-je sur mes jambes quand je suis assis sur un banc ? On ne peut pas faire les deux à la fois. Tu manques de logique, mercenaire.
François
Oublie ce mot-là : je ne l'aime pas.
Mithridate
Ni moi, d'ailleurs.
François
(menaçant) Je ne suis pas mercenaire.
Mithridate
Ah non ? . . . Mais non . . . Non, bien sûr, tu n'es pas un mercenaire.
François
Qu'est-ce que je suis alors ?
Mithridate
J'ai demandé au Bull Dog; il m'a répondu que tu étais un héros.
François
Un héros ?
Mithridate
Oui, un grand héros.
François
Tu l'as cru ?
Mithridate
Non, pas du tout.

François
Qu'est-ce que je suis alors ?

Mithridate
Un misérable, un miteux, un dérisoire, un mercenaire.

François
Gros sale, pour qui tu te prends ?

Mithridate
Pour ce que je suis, exactement. Mithridate est mon nom et je me prends pour Mithridate. Je suis roi. Je règne sur moi-même.

François
Des mots, tout ça ! Veux-tu que je te dise qui tu es, farceur ? Un corbeau.

Mithridate
Un corbeau ? Tu veux me faire plaisir, toi !

François
Un corbeau, le bec tourné contre soi, qui n'arrive pas à se déglutir...

Mithridate
Drôle d'oiseau !

François
Et qui traîne de l'aile dans la suie des trains qui ne sont pas partis. Si je me souviens ! « Reste ici, mon petit : la gare est fermée. » Voilà ce que tu m'as dit, cocu noir sur un banc vert.

Mithridate
J'ajoute que depuis la gare a été transformée en bureaux de bureaucrates, bureaucratie des administrateurs de l'administration municipale. Concordia salus ! On y trinque, là aussi, à l'eau bénite.

François
Alors, va le demander là-dedans, le corbillard fumant qui t'a laissé sur une traque rouillée !

Mithridate
Pardon, mon cher, le train est revenu. Tous les soirs, ici même, je le prends pour la nuit.

François
Sleeping car à trente sous, la robine pour ticket.

Mithridate
Stream Line Express, le tour du monde en six heures. Chaque matin, je reviens à mon point de départ. Mon parachute est un chapeau d'arbre. Je descends un peu avant l'arrivée du laitier. C'est mon facteur. J'attends, moi aussi, des nouvelles des petites vaches, grosses comme le pouce, et de la prairie qu'on déroule. Tapis de paradis au-devant du grand bison qui viendra les saillir.

« Une pinte de lait », je crie au laitier, et je pense à ce qu'elles m'écriront un jour, les petites vaches, en buvant leur lait. Ça commence bien une journée.

François

Paysagiste, tu voudrais me ravir. Tu parles, tu parles, tu dis n'importe quoi, aussi vrai que tu n'as jamais bu une goutte de lait, et moi, je t'écoute, je t'écoute, encore chanceux de ne t'avoir jamais cru. Autrefois, j'étais ton Canadien errant. Ton cher petit Canadien errant. Tu voulais me garder auprès de toi, sous prétexte que la gare était fermée, et tu me tendais un vieux crouton noir de la suie de tes trains déraillés, généreux comme le veuf d'une locomotive.

Mithridate

Tu te répètes : tu m'as déjà constitué cocu noir sur un banc vert. Maintenant, me voici veuf de locomotive. Surveille ton lyrisme. Tu perds de la vapeur et la boucane te sort par le nez.

François

Que veux-tu, cornichon ? Je suis passé par ton école ! Si je t'avais écouté, tu m'aurais gardé dans une bouteille de formaline.

Mithridate

Non, empaillé, et tu te serais tenu tranquille ainsi, à mes côtés.

François

Penses-tu que j'étais pour attendre l'administrateur de l'administration municipale ! « Concordia salus; dominus pécus : une petite place de balayeur de rue, s'il vous plaît, Monsieur l'administrateur. » Penses-tu ! La gare était fermée, mais la guerre restait ouverte.

Mithridate

Au lieu de : « Monsieur, » tu as dit : « Yes, sir. »

François

Cela en valait la peine. Je n'ai pas manqué le train, moi ! Forteresse volante pour l'Afrique et l'Italie; Lancaster pour la Normandie et la Belgique. Je suis descendu entre deux bombes; j'avais le sens des interstices, je savais trouver la solution de continuité et me planquer.

Mithridate

Avec les rats.

François

A la guerre les rats sont des animaux plutôt sympathiques... Ah, j'en ai vu des beaux feux d'artifice ! De la géographie je ne connaissais rien : non seulement je l'ai apprise, mais encore on me l'illuminait. C'était surtout beau à l'école du soir. Les vieilles poutres historiques ne sont pas de bois vert; elles donnent une flamme pure qui me réchauffait; j'en reste encore tout ébloui. Napalm de mes nuits d'Allemagne, napalm ! tu n'as pas cessé de brûler dans mon coeur !

Mithridate

L'état de grâce, quoi !

François

Mieux : l'extase ! Et puis, tout s'est éteint sur un continent noir et les rats sont devenus beaucoup moins sympathiques. Ils couraient dans les ruines de l'Europe : la guerre était finie; ils prenaient figure humaine. Moi, ce qui m'a dégoûté de la paix, c'est une rate que j'avais prise en toute innocence, par le bon bout, et je venais, mon frère, je venais; elle m'aidait à remonter, le long de sa belle taille blanche et de ses petits seins, le courant des voluptés permises au guerrier triomphant, à remonter jusqu'à avoir la joue contre sa bouche, contre ses dents; je venais et elle m'attendait pour me mordre ! . . . J'en ai eu assez de l'Europe. Je suis allé en Corée et le napalm a recommencé, mais cette fois, je n'ai pas attendu, c'est moi qui ai mordu.

Mithridate

Tu m'épates !

François

Pas besoin de te forcer : je me suffis.

Mithridate

Il se suffit, pensez donc ! Caporal, caporal du monde entier, je te salue.

François

Salue-moi deux fois : tu voulais me restreindre et je me suis échappé.

Mithridate

Je te salue, caporal à la tête flambée, mannequin des soleils noirs, rat costumé ! Je te salue parce que tu me dégoûtes.

François

Vieille arquebuse, tu m'honores !

Mithridate

Il a vu flamber des pagodes remplies de Chinois : un homme instruit ! Et au napalm, s'il vous plaît ! Mais le napalm, ce n'est plus qu'une petite allumette !

François

Oui, si tu veux. Mais, la prochaine fois, on fera mieux . . . Tu ris ?

Mithridate

Je ne ris pas, je dis : amen *(Joignant les mains et se jetant à genoux)* O Sainte Philomène, patronne de nos paroisses, je vous rends grâce : vous avez fait naître un authentique héros, le super-zouave qu'on attendait, annoncé dans l'Apocalypse du bon Dieu.

Mithridate et François

Amen

Mithridate

(se relevant) La prochaine fois, ça sera la bataille d'Harmaguedon. Tu auras avec toi des anges supersoniques, l'Amiral Incendiaire, le Jehovah crevant sa rage accumulée depuis le commencement des temps — et toute la terre sera ton abcès de feu. Un héros ? Non, tu es un saint. Ou si tu le préfères : un saint et un héros. Hé ! Tu montes, caporal, tu montes ! A la fin, tu seras une toute petite saloperie, la buée d'un crachat.

François

Tu me respecteras alors, Mithridate.

Mithridate

Oui . . . oui, je te respecterai alors comme je te respecterais aujourd'hui si tu avais flambé dans un de tes précédents feux d'artifice.

François

Ton respect, il est plutôt malsain.

Mithridate

Les Chinois dans la pagode, c'était eux qui avaient raison et non pas toi.

François

Mon pauvre bonhomme, tu ne sais pas ce que tu dis.

Mithridate

Je n'ai jamais parlé pour ne rien dire. Je t'avais dit que je t'attendrais et tu es revenu. Je t'avais dit : « Prends ton temps, vise bien, ne manque pas ton coup . . . »

François

Je ne l'ai pas manqué.

Mithridate

Je ne m'adressais pas au mercenaire. Son coup, à celui-là, ne m'intéresse pas. Je parlais au Patriote, à l'enfant des vieilles arquebuses, au garçon qui portait une fleur du pays à son fusil, et qui mena alors, une fois, une pauvre petite fois, sa guerre à lui, la seule qu'il ait jamais gagnée.

François

La fois de l'église ? Tu appelles ça gagner ! Je t'ai dit ce que je pense des bateaux échoués; on s'y damne dans le ventre de Dieu.

Mithridate

Dans le ventre de Dieu ? Tu confonds; tu te trompes de génération. Le Père, l'Amiral, l'Incendiaire, ne connais pas; je sais seulement qu'il y a toujours eu des imposteurs pour parler en son nom, des padres pour servir Barabas, des grands-prêtres pour entretenir les chemins de croix — et que ça tourne ! Après un Christ, un autre, juif, noir, jaune, rouge, peu importe pourvu que ne s'arrête pas le carrousel de la foire sanglante. Le Père, connais pas, et personne ne le connaît — c'est peut-être le soleil . . . Mais le Fils, d'autant plus pitoyable qu'il est devenu orphelin, d'autant plus grand aussi, le Fils abandonné en tous les hommes qui meurent abandonnés, qui meurent toujours seuls et abandonnés au milieu de la vie proliférante, de la communauté réjouie et des paradis retrouvés, le Fils, je le connais : il était dans la pagode; il était à Saint-Eustache, il était dans tous les fours crématoires, à Hiroshima, à Dresde, à Hanoï. Il n'est plus crucifié; il brûle vif pour que le soleil ne s'éteigne pas. Tu confonds les générations, et tu te trompes : le bateau n'est pas échoué, il quitte doucement le quai avec sa cargaison de pauvres Christs, de pauvres nous; il vogue sur les flammes vers l'autre rive et la verdure.

François

Stream Line Express, je m'incline. Passe-moi de ta robine.

Mithridate

Les vitraux s'étaient mis à bouger et les saints à danser. De la voûte, des piliers, de la cascade des jubés rouges, l'illumination convergeait vers le choeur.

François

Hé ! Tu mets les voiles, grand-père !

Mithridate

Comme un tison qui s'entoure de ses cendres, l'église se concentrait sur elle-même. L'ostensoir comme un grand soleil, Dieu dans la fleur des sauvages.

François

(debout sur son banc) Cependant, au-dehors, une épaisse fumée obscurcissait l'église. La cérémonie s'achevait, les saints ont cassé le vitrail et les patriotes, à la file indienne, se sont mis à sauter par la fenêtre, du côté du cimetière.

Mithridate

Chénier est sorti le dernier. Quand il s'est relevé, il a retombé; il avait la cheville brisée. Alors, il s'est agenouillé, il a épaulé son fusil, cent coups partirent avant le sien.

François
Tu nous avais dit : « prenez votre temps, visez bien, ne manquez pas votre coup. »
Mithridate
Il ne le manqua pas : il mourut en criant : Vive la liberté !
François
La belle légende !
Mithridate
Elle s'empara de son pauvre corps, criblé de balles. C'est le grand cérémonial qui commençait. Ecoute, petit, le cochon des avents qu'on égorge. On ouvrit le corps de Chénier : le coeur on lui arracha pour le mettre au bout d'un bâton.
François
J'imagine que les Chinois, ils s'en racontent, eux aussi, des choses invraisemblables sur les morts de la pagode.
Mithridate
La vérité est qu'il n'y a pas de bombe si rapide qu'elle empêche de parler ceux qu'elle tue. Le peuple, qui s'est conçu dans ce cérémonial, attend désormais son heure. Etrange destinée et suprême honneur, c'est le premier peuple blanc qui cède au métissage et se lève avec le Tiers-Monde ! Voilà des siècles que la force cherchait à s'imposer à la faiblesse : elle a obtenu pour résultat que le faible s'impose au fort. Le général Colborne marchait à la défaite. C'est Chénier qui triomphe et avec lui le Fils contre le Père. Petit, enlève ton battle dress : c'est la livrée de Barabas.
François
Pourquoi la quitterais-je puisque c'est par elle que je suis sorti de prison ?
Mithridate
Il n'y a plus de prison.
François
Tu te trompes, vieux frère : je reviens de trop loin pour m'y laisser prendre. L'Afrique, l'Italie, c'était plein de barbelés et je les ai traversés. La Normandie aussi, la Corse, j'y ai découvert le monde entier.
Mithridate
Tu as peut-être pris des détours, mais tu reviens simplement de Saint-Eustache, à vingt milles d'ici.
François
Avec un petit retard aussi, j'imagine ?

SCÈNE DEUXIÈME

Mithridate

Un siècle ou deux, à peine. Le temps pour ton pays de se découvrir au monde des patries et d'y accéder, à la place qui lui revient. Sauvageau, François est revenu : la bataille de Saint-Eustache est terminée.

Sauvageau

Il était temps !

Mithridate

Ce fut en effet une bien longue bataille, et elle en a fait des morts, le temps qu'elle a duré, tu t'imagines ! Mais ces morts-là laissaient leurs armes à ceux qui n'en avaient pas, aux survivants, aux survenants, aux enfants. Il en a fallu de la patience aux générations, de la ruse, des détours, de l'obstination, du courage, pour mûrir une défaite et la transformer en victoire !

François

Et de la parlotte... Sauvageau, il me semble que je t'ai déjà vu, toi ? Au Japon ou en Corée.

Mithridate

Quelque part dans les petits faubourgs de Saint-Eustache.

Sauvageau

En Asie, c'est possible, car j'ai gardé là-bas mon visage, dans ces pays anciens qu'on s'applique à anéantir aussi sauvagement qu'on m'a exterminé en Amérique. Mais, moi, François, je ne t'aurais pas reconnu. Tu n'étais plus des miens alors qu'à Saint-Eustache, je suis encore des vôtres.

François

Quand je t'apercevais, je tirais, il fallait, mais je visais mal, ça, je pouvais. Ah ! j'en reviens bien, aujourd'hui, de la Corée, du Cachemire et de tout le bazar !

Poutré

Du Cachemire, hein, François ? Est-ce que je t'ai bien entendu, mon garçon ? Du Cachemire, ça, c'est une surprise ! Et de la grand'visite comme on n'en a pas souvent ! Dis, François : tu m'as sûrement rencontré au Cachemire ? Il doit bien y avoir un rang du Brûlé, dans ce pays-là ! Hein, mon garçon : tu t'es souvenu de ton père et tu es allé le voir. Eh ! qu'il a été surpris, le bonhomme ! « Mais, c'est mon garçon François, ne dirait-on pas, qui monte la côte, passé le deuxième voisin ! Il ne m'a pas oublié ! Ça, c'est un bon garçon ! Il a de qui tenir ! Eh, amène-toi donc, François, chez ton père, le Félix Poutré du Cachemire ! »

François

Son père, laissez-moi placer un mot.

Poutré

Attends, François, que j'annonce la nouvelle dans la maison . . . Eh ! les mères, mes dix-sept mères, sortez toutes de vos cagibis, not' seul enfant et fils unique, qui était parti pour le Klendyke, se ramène ! Il a fini de monter la côte : il arrive ! C'est de la grand' visite ! C'est . . .

François

Pantoute, son père.

Poutré

Comment, mon garçon ?

François

Au Cachemire, je suis passé stréte, en jet, direct, pas moyen de descendre.

Poutré

Et moi qui t'attendais sur la galerie, en me berçant !

François

Mais je vous ai rencontré au Tibet, le père, debout sur les Himalayas, la fourche en l'air.

Poutré

Bien possible que tu m'aies rencontré là : icitte, le foin ne se vend plus. C'est une idée que j'ai déjà eue, oui, de faire la culture à l'envers, dans les nuées. Seulement, avec les petites buttes qu'on a dans Saint-Eustache, c'était un peu court d'Hymalaya, pas du tout les Laurentides que tu dis . . . En tout cas, François, même si on s'est vu au Tibète, ça me fait plaisir de te revoir dans ton pays natal.

Mithridate

Elizabeth, François est revenu.

François

Ça me fait plaisir de même, plus que vous ne sauriez croire.

Poutré

Eh ! je ne suis pas coq-l'oeil. Je te crois, mon garçon, et puis, je te comprends !

Mithridate

Il revient de la bataille de Saint-Eustache.

Elizabeth

La guerre est donc finie !

Mithridate

Elle est finie et elle a été gagnée.

Elizabeth
François Poutré, m'avez-vous rencontrée ailleurs, dans nos faubourgs du monde entier ?
François
Elizabeth ! Le bonheur entrevu déjà.
Elizabeth
Aussitôt oublié.
François
Enfin retrouvé . . . Non, éloignez-vous, Mademoiselle.
Elizabeth
M'éloigner, Monsieur ?
François
Oui, que je vous voie, beau reflet du miroir.
Elizabeth
Impossible, la glace est cassée : il n'y a plus de reflet dans le miroir. Mon embarras n'est pas ailleurs qu'en vous, et quant au vôtre, j'en ferai mon affaire, François Poutré. *(Sur cette hardiesse, il lui sera aisé de tendre les deux mains. Tenant celles de François, elle dira) :* De nouveau seule avec lui, que lui dirai-je à ce garçon ? Nos chemins s'étaient traversés; maintenant, ils se rencontrent. Plus moyen d'aller chacun de son côté . . .
Mithridate
C'est l'impasse complète.
François
Vous souvenez-vous, Elizabeth : « Jurez-moi d'être heureuse et partez simplement. »
Elizabeth
« Heureuse, pourquoi pas ? Ne serez-vous pas vainqueur ? »
François
« Vainqueur, assurément . . . »
Elizabeth
François, vous souvenez-vous de mon argument ? « Ah ! François, que je vous disais, si j'étais vraiment anglaise, vous seriez sûr de la victoire ! »
François
Elizabeth Smith, pourquoi ne seriez-vous pas vraiment anglaise ?
Elizabeth
Anglaise, heureuse, tout ce que vous voudrez, François Poutré . . .
Mithridate
Bon, ça va, faites comme vous voudrez, passez-vous du curé mais, pour l'amour de Dieu, débarrassez la scène ! Allez faire les particuliers ailleurs que dans les endroits publics; allez, ouste ! . . . Un peu de malheur et ils restaient montrables; c'était des personnages. Un peu de bonheur, adieu théâtre ! ça fait des particuliers, pour ne

pas dire des lapins en quête d'un terrier ! . . . Sauvageau, décroche ta hotte, reprends ta charge ! Et tu la salueras bien pour moi, l'espèce ! En voilà une qui ne se prive pas : à même la distribution, mon cher ! On ne joue plus, on se reproduit ! Flambé, le cérémonial ! Et Chénier qui s'amène en héros national ! Tiens, justement, le voici ! En fait d'entrée, bingo ! c'est réussi, absolument réussi, ça ne se discute même pas . . . Eh ! qu'est-ce que tu attends, Sauvageau ? Va la servir, ta clientèle !

Chénier

Que se passe-t-il, Mithridate ?

Mithridate

Il se passe, Chénier, que désormais, ta victoire est certaine; une autre de nos belles réussites ! Es-tu satisfait ?

Chénier

Satisfait ? Si j'en crois ta tête, c'est une victoire qui ne vaut pas cher . . . Le pays est-il à nous ?

Mithridate

Le pays est à nous.

Chénier

Que veux-tu de plus, Mithridate ? Si tu n'es pas content, tu ne le seras jamais.

Mithridate

A chacun son tempérament, Chénier. Le mien ne me porte pas à la célébration des victoires.

Chénier

Mais la nôtre ?

Mithridate

Je n'en connais pas d'autre. Je l'ai désirée, ah oui ! je l'ai désirée ! Maintenant, elle est pour ainsi dire arrivée. Salut, victoire ! . . . On est poli, c'est tout . . . je devrais peut-être me transformer en cupidon de ces dames pour montrer de l'allégresse ? Ou bien passer commande à Sauvageau et faire comme ce petit François Poutré, revenu de Corée avec une gueule de tueur ? Maintenant, il est le mouton de sa bergère et il la broute parce que Monsieur le docteur Chénier a fini par avoir raison envers et contre tous ! Eh bien, pas pour moi ! Le cupidon de ta victire, Chénier, il ne me broutera pas le poil du dos !

Chénier

Qu'il m'est agréable de vous retrouver réunis ! Elizabeth . . . François. *(Et en prononçant leur nom, il leur baisera la main sans préjudice de sexe. Après quoi, Chénier d'une part, François et Elizabeth de l'autre, se feront la révérence.)*

Poutré

Hein, docteur ? On l'a eue à la fin notre victoire !

Sauvageau

Tu ne serais pas un peu débandé, camarade Mithridate, de l'avoir perdu, ton petit tueur de Corée.

Chénier

Poutré, mon vieil ami ! *(Ils se serrent la main.)*

Mithridate

Débandé, c'est le mot.

Chénier

Oui, enfin on la tient.

Poutré

J'en ai toujours été certain !

Mithridate

A Saint-Eustache, il n'y avait pas de mouton pour nous brouter le poil du dos. Chénier, tu es mort comme un infâme. Ta victoire se nommait alors défaite. C'est pour cela que j'ai été pour toi. De la broute on t'a sauvé; à la gloire, on t'a redonné. Mais on était tous alors des partisans. On a formé un peuple, un peuple masqué, un peuple de partisans masqués. Et puis, après tant d'effort et de complicité, au bout de l'obstination de ce peuple à se donner un pays pour arracher ses masques, quand de ta gloire retrouvée naît enfin ta victoire, qu'est-ce qu'on voit : de tous bords, tous côtés, tes partisans s'égailler pour devenir des propriétaires et des particuliers ! Des particuliers, tu t'imagines ! Etais-tu un particulier, toi, Chénier ?

Chénier

J'aurais bien voulu n'être qu'un particulier !

Mithridate

Facile à dire, tu ne l'as pas été. Penses-tu qu'on te célèbre aujourd'hui parce que tu aurais pu être un particulier ? La victoire à ce prix, non, ce n'était pas la peine !

Poutré

Qu'est-ce qu'il a donc, ce quéteux-là, à rouspéter ?

Mithridate

Veux-tu savoir, Chénier, ce que j'ai l'air dans ta victoire ? D'un cocu !

Sauvageau

C'est ça que je t'ai dit, Mithridate : pourquoi le crier sur les toits ?

Mithridate

Toi, Sauvageau, porte ta charge et fous-moi la paix !

Poutré

Moi, je serais porté à penser qu'il a bu du lait au lieu de la robine.

Sauvageau
Des cocus, il en faut pour faire un monde.

Chénier
Je pense, Poutré, que notre victoire ne l'enchante pas.

Poutré
On ne lui en demande pas tant ! Les gens comme lui, ça ne compte pas.

Chénier
Poutré, François voudrait vous parler.

Poutré
S'il n'est pas content, qu'il voyage ! Un instant et je reviens pour lui donner son tiquette au derrière.

Chénier
Ainsi, tu m'abandonnerais, Mithridate ? Il faut dans la défaite garder le sens de la victoire, mais dans la victoire ne pas perdre le sens de la défaite. Mithridate, j'ai encore besoin de toi. Dans une fête, on sert les gens selon leurs goûts. Laisse au particulier et à mon ami Poutré la liberté de me célébrer comme ils l'entendent, mais toi, Mithridate, mon prince, pourquoi ne fêterais-tu pas le retour du vaincu, la victoire de l'infâme ?

Poutré
J'arrive pour le tiquette, pas si vite, ma patte, retiens mon pied, concentre ta botte : j'en ai un maudit bon ! . . . quand j'y pense, doux Seigneur du ciel ! Avoir parcouru le monde entier sans avoir trouvé moyen de se marier en cours de route, un garçon bien membré comme lui, un choix fameux à sa portée, toutes les sortes, toutes les couleurs, de la Chinoise à la Bouroubouroue ! Et son père qui attendait une bru exotique pour l'accueillir de grand coeur, sans une cent à payer. Quand j'y pense ! Revenir seul comme il était parti pour se trouver à cinq milles de la maison une Anglaise qui parle français, doux Seigneur du ciel ! Et il faudra faire des noces pour ça ! Arrête, ma patte, retiens ton pied, concentre-toi sur la botte . . . De grosses noces à payer, mais le tiquette, il va être gratis en conséquence !

Mithridate
Plus besoin de tiquette : on a repris vapeur, on fonce dans la victoire . . . Merci quand même, Monsieur Poutré !

Poutré
Mais ce tiquette-là, il va me rester sur le pied !

(Poutré restera donc avec plus de swing dans une jambe que dans l'autre jusqu'à la gigue qui le rebalancera.)

Mithridate
Chénier, vous m'avez toujours eu et encore vous m'avez ! Ouida, en place pour la fête ! Particuliers, particulières, cabotins, cabotines, propriétaires, robineux . . .

Poutré
N'oublie pas les lapins, Mithridate !

Mithridate
. . . lapins, lapines, patriotes, sauvages, habitants, métallurgistes, faune des Amériques rassemblés dans l'ordre de la Patrie, O peuple de mon pays, moi, Mithridate, j'ordonne que sans plus tarder, on célèbre cette victoire !

Poutré
Docteur, voulez-vous que je vous danse la gigue du chien à trois yeux ? Je l'ai encore dans le pied.

Mithridate
(se tirant de son banc) Si tu l'as dans le pied, essaye de me rejoindre ! Envoèye ta patte, grossis ta botte, tricote ta gigue ! Moi, je ferai l'oiseau moqueur.

(Ils font un essai)

Poutré
Ça me prendrait le grand fusil.

(Elizabeth aussitôt lui apporte le grand fusil.)

Chénier
(empêchant la reprise) Félix Poutré, dites-moi . . .

Poutré
Arrête ta patte, retiens ton pied, garde ta botte pour la patrie . . . Oui, docteur.

Chénier
Félix Poutré, êtes-vous encore bon avec le curé ?

Poutré
Quoi, il n'est pas ici, lui ? Encore enfermé dans son presbytère, à bouder ! Chanceux quand même d'être un curé, autrement, ça ferait un fameux incrédule.

Chénier
Poutré, je ne vous demande pas si le curé est un incrédule, il est prudent, ça, je le sais. Je vous demande . . .

Poutré
J'ai compris, docteur . . . Parfois, j'ai comme une doutance qu'il se prend, lui aussi, pour un héros national. Ça expliquerait qu'il ne soit pas ici.

Chénier
Il n'a pas été averti. Je vous demande . . .

Poutré
Si je suis bon avec lui ? Ça devrait, je n'ai pas changé, tête de cochon mais marguiller de père en fils depuis le déluge, pas moins . . . Voudriez-vous que j'aille l'avertir ?

Chénier
Il est des nôtres, parbleu !

Poutré
Il est des nôtres et nous sommes des siens. Et puis, il tient toutes les cloches du pays dans sa main. C'est un homme à mettre au courant des nouvelles si on veut que le bon Dieu soit averti. Bon, j'y vais.

Chénier
Ça serait plus poli.

Poutré
Mais si vous préférez, Docteur Chénier, je pourrais ne pas passer par le presbytère. C'est simple : je monte direct dans les Hymalayas, la fourche en l'air.

Chénier
Non, je préfère les cloches.

Poutré
Le curé ne demandera pas mieux : il les lâchera toutes ensemble sur le pays, les cloches et le bourdon; vous aurez un fameux tintamarre.

Mithridate
Un fameux tintamarre pour une fameuse victoire.

Poutré
Bon, j'y vais. Attendez-moi. Le grelot fini, je reviens pour la gigue. Je l'ai encore dans le pied. *(Il s'éloigne.)*

(Entrée du curé — Tous font « Ah ! »)

Sauvageau
Moi, j'accroche ma hotte, puis je remonte mes grands soleils aux quatre coins du pays.

Mithridate
Ah ! ils n'ont pas fini de voir l'oiseau moqueur se tirer de la gueule du chien à trois yeux. Sieurs, Dames, nos complices, nos frères, Salut.

FIN DE LA PIÈCE

SUPPLÉMENT AUX « GRANDS SOLEILS »

OU

LA CRITIQUE CONCERTANTE

LES GRANDS SOLEILS, SALADE PSEUDO-HISTORIQUE !

La compagnie de théâtre le T.N.M., est venue jouer dans la région une pièce de Jacques Ferron : « Les grands soleils ». D'un sujet historique très mince, l'auteur a fait une tentative assez maladroite d'un théâtre à la dramaturgie insolite mais à l'efficacité douteuse . . .

Une pièce historique aurait pu ennuyer le public. L'auteur a fait éclater le sujet en jouant ainsi sur différents claviers. Mais son orgue manquait d'huile et les pitreries de Mithridate, burlesque à souhait, ne réussissent pas à cacher une dramaturgie qui se cherche et ne se trouve pas. Le gros curé stupide et l'habitant à quatre pattes ne me convainquent pas de leur imbécilité. Et l'indien-père Noël me laisse assez froid. Le plus vrai de tous reste Chénier lui-même, noble et fier, sûr de son combat et mourant dans l'espoir fou de réveiller un peuple de vaincus.

Gilles Trépanier
« Le Réveil du Saguenay », 27-3-68

Historically the play is absolutely true to fact, but Ferron has chosen to operate on a double time-level with action swinging from 1837 to the present and back even within a single scene.

The result is a mélange of history and contemporary comment which is all talk and tableaux. There is no action beyond that described by the cast, there is no motivation or development of character, there is little continuity except that provided by Mithridate. There is, in fact, no play at all but rather a series of static scenes often overlapping in content and couched in endlessly repetitive language more tautologic than poetic.

Joan Irwin
« The Montreal Star », 29-4-68

La première partie de cette pièce qui nous reporte à la rébellion de 1837, à Saint-Eustache, nous offre quelques moments intéressants enveloppés d'une certaine fantaisie assez agréable; la seconde est mortellement ennuyeuse. Les jappements du « robineux » L'Ecuyer et les cris hystériques de Jean Perraud, « mercenaire », selon Ferron, de la guerre de Corée, n'y peuvent rien : ce bla-bla fastidieux de fanatiques de « hustings » n'a rien à faire avec l'art dramatique.

Le R.P. Jésuite
« Relations », juin 68

Quant à la pièce elle-même, il convient de reconnaître que le début est fort lent. Autant la première partie est lente, inarticulée, récitative et déroutante, autant la seconde est vivante, pittoresque, pleine de rythme et d'éclats visuels.

René Berthiaume
« La Tribune », 5-2-68

Le quatrième acte des « Grands soleils » est peut-être le chef-d'oeuvre de notre littérature dramatique. Ces folies universelles qu'évoquent Mithridate et François Poutré, jusqu'à nommer les Christ persécutés du Vietnam et d'ailleurs ressemblent au plus puissant délire de la tendresse humaine et nous donnent certes la plus grande force d'émotion du spectacle.

Jean Royer
« L'Action », 4-3-68

Si Ferron veut parler de la liberté du Québec, qu'il en parle; mais, de grâce, qu'il ne fasse pas apparaître sur la scène un commando de Corée. Avant tout, il faut circonscrire le sujet pour le mieux exploiter. Sophocle, Racine, Hugo et Sartre l'ont compris pour une meilleure cohésion. Mais lorsque l'incohérence agite chaque personnage pour n'aboutir qu'à un dénouement simpliste, il faut se rendre à l'évidence et dire que les « Grands Soleils » ne mérite pas d'être montée bien qu'elle puisse servir de canevas. Quand enfin, il faut faire marcher Poutré à quatre pattes pour provoquer les applaudissements et qu'il faut faire dire à Mithridate un mange de la m . . . tonitruant pour surprendre le spectateur. Il est permis de se demander quelle dose de talent est nécessaire pour écrire une pièce d'un tel genre.

Ferron n'a pas passé même avec de bons comédiens, de bons éclairagistes et de bons costumiers. Ferron n'a pas passé et il ne passera pas.

Normand Lassonde
« Le Nouvelliste », 2-3-68

Oui, Jacques Ferron a réussi à nous faire revivre les événements épiques au cours des trois premiers actes de sa pièce et ce, dans une langue à la fois poétique et d'action.

Mais là où nous ne marchons plus, c'est au quatrième acte au moment où l'auteur nous catapulte à l'époque moderne. Le jeune François Poutré, soldat improvisé de la Rébellion de 1837, jeune patriote rempli d'idéal revient de la guerre de Corée. D'idéaliste qu'il était, il est devenu mercenaire : il a fait toutes les guerres. Et nous avons droit à de longues tirades sur les fours crématoires en Allemagne, Hanoï, le napalm . . .

Annick L. Sinclair
« L'Avant-Poste Gaspésien », 14-3-68

C'est surtout au quatrième et dernier acte que l'auteur donne libre cours à son intention qui dépasse le cadre d'un nationalisme étroit tout en exaltant ce qui nous est propre.

Comme Mithridate, debout sur son banc du Carré Viger, raconte la bataille de Saint-Eustache, François Poutré du Brûlé comme d'Italie, de France et de Corée, s'amène sur les lieux. C'est alors que s'engage la vraie bataille. Entre la Corée et Saint-Eustache, il n'y a pas de commune mesure. La première guerre est une entreprise de destruction qui n'a rien à voir avec l'autre qui est la prise de conscience d'un peuple colonisé. Mithridate n'aura cessé de traiter ce François, arrogant et sanguinaire, de dérisoire. Véritable scène d'exorcisme, elle atteint son but qui est de discréditer l'une pour redonner à l'autre son identité première.

Cette constante coupure opérée sur le mouvement de la pièce comme sur son déroulement de même que la simultanéité des actions portent le spectateur à être un peu dérouté.

Jean Garon
« Le Soleil », 4-5-68

Monsieur Ferron a écrit plusieurs livres, il a un style qui fait souvent image et je pense que les critiques ont fait, de cette qualité, une faiblesse qui donne des longueurs à son oeuvre. J'ai moi-même senti la belle phrase trop bien tournée, nuisant quelquefois au mouvement exigé par l'action dramatique, mais c'est un humoriste, un bel écrivain et il sait sortir de leur poussière, ces héros dont on a retenu que le nom dans notre histoire du Canada, apprise par coeur en vue de la note aux examens. Nous avons particulièrement aimé Guy Lécuyer dans son rôle de robineux, quelle fougue ! Mais va-t-il pouvoir continuer ce train-là durant un mois ? . . .

Gaby
« L'Echo de Vaudreuil-Soulanges », 15-5-68

Et c'est pour ça qu'on s'ennuie. On rit sur une réplique, on est d'accord avec l'auteur sur ses idées, mais . . . on est au théâtre, et malgré la bonne volonté des comédiens et de l'auteur, on ne voit pas du théâtre. Et ce n'est même pas un divertissement. Après Bois-Brûlés, ça sentait le roussi; après les Grands Soleils, ça sent le four. Il faut appeler les pompiers ou arrêter l'incendie !

François Piazza
« Echos Vedettes », 11 mai 68

Avec Jacques Ferron, finies les phrases creuses, le verbiage inutile, le dialogue emprunté, le texte hors situation.

Pour la première fois dans l'histoire du théâtre québécois, le langage colle à l'image; plein de verve, cru, savoureux même comme devait l'être celui des patriotes de 1837; un langage qui ne tend pas à créer une situation, mais qui lui prête sa voix.

Et que dire de la mise en scène d'Albert Millaire, sinon qu'elle exploite à fond le tragi-comique de la pièce à un point tel que les lieux et l'espace s'intercalent d'une scène à l'autre sans heurt aucun et avec le minimum de jeu et d'effets techniques.

Ce mariage Ferron-Millaire est certes le plus heureux à se produire sur la scène québecoise.

Il nous donne l'espoir d'une dramaturgie épique, sans faux artifices qui soit à l'image de notre culture, de notre besoin d'agir et d'exister, de notre soif de faire connaître au monde entier l'existence d'une nation française bien vivante au sein de cette Amérique anglicisée.

« Le Courrier de Saint-Hyacinthe », 28-3-68

On a du mal à croire que les comédiens du Théâtre du Nouveau Monde aient interprété plus de 60 fois "les Grands Soleils", de Jacques Ferron, avant de se produire à Montréal. En effet, la pièce a d'abord été jouée en tournée au Québec, en Ontario et au Nouveau-Brunswick. Trente-cinq mille « amateurs de théâtre » ont assisté à la création de Jacques Ferron. Il est vrai qu'on s'ennuie beaucoup en province, alors un ennui de plus ou de moins.

... Tableaux variés, passé et présent s'entremêlent, un rien de futur aussi se glisse, on ne sait trop comment, à la fin. Hélas, n'est pas Giraudoux ou Obaldia qui veut. On ne tarde pas à s'embrouiller, perdu dans un écheveau cynique, naïf ou lyrique. On ne compte plus les libertés que Jacques Ferron prend avec l'Histoire : les Anglais sont les méchants, ils le seront à jamais; leur destin est d'être méchants. C'est clair, c'est simple, c'est simpliste.

Bernard Levy
« Sept-Jours », 12-5-68

... le jugement que Jacques Ferron porte sur le Canadien français est dur. L'Anglais représente une force brutale, sans doute, mais presque propre, presque estimable dans une certaine optique. Quant au Québécois, il porte sa défaite en lui par lâcheté, par paresse, par pauvreté d'esprit; cependant, au niveau individuel, et c'est le cas de Chénier et des Patriotes, il sait être merveilleux de courage. Symbole de la pièce : le « Canadien errant » devenu « mercenaire en Corée » est bien battu par les Anglais; or, ce sont les siens qui l'auront trahi. Sombre leçon qui n'est pas sans exemple.

On devine la suite. Si les Canadiens français se trahissent ou deviennent mercenaires, c'est qu'ils sont aliénés à une condition, instigateurs et victimes.

Jean Basile
« Le Devoir », 11-5-68

Mithridate demande pourquoi « nous nous sommes toujours battus pour les autres dans des guerres qui ne nous concernaient pas et qui ne nous rapportaient rien. Quand ferons-nous une guerre pour nous ? »

L'essentiel de Ferron est là-dedans. C'est là un appel peu équivoque à la levée du peuple canadien-français comme au temps de Chénier. Ce sont là les plus beaux moments de la pièce, c'est là que le texte trouve une certaine justesse et que les sentiments sont exprimés avec le plus de clarté.

« La Voix Gaspésienne », 14-3-68

Même si les « Grands Soleils » nous sont parus quelque peu indigeste, et « éblouissants » par moment, il reste que la pièce de Ferron nous est apparue comme un miroir fidèle de notre histoire, de nos qualités et de nos défauts en tant que peuple.

Que nous le voulions ou non, les miroirs ne reflètent pas toujours ce que nous voudrions qu'ils reflètent.

Gaston Boucher
7-3-68

Le curé est accusé de tenir le peuple dans un état d'enfance. Il ne s'en défend point. Le Canadien français-type est défini comme « un pauvre homme qui cherche à protéger le pauvre bien qu'il a, et qui va au plus fort ». Son fils est patriote : il faut bien être quelque chose ! L'Amérindien est du côté de la juste cause : une Anglaise elle-même en est convaincue. Pourquoi le docteur Chénier devient-il héros national ? Mithridate enfin est un personnage-tampon qui fait les liaisons de l'un à l'autre ainsi que les commentaires . . .

Les soirées seront longues ce mois-ci au Théâtre du Nouveau Monde.

Bernard Levy
« Sept-Jours », 12-5-68

Personnellement, j'ai le sentiment que l'auteur est victime de lui-même, c'est-à-dire de son aisance à manier la langue française et l'humour. Ses personnages, qui ne sont qu'esquissés pour la plupart, ne sont, à toute fin pratique, que les porte-parole de l'auteur et font souvent penser à des marionnettes douées de la parole.

Ces marionnettes parlent bien, et même très bien, mais elle ne vibrent pas, elles bavardent. C'est comme si Ferron, dans son effort de transposition et d'adaptation à la scène, avait oublié qu'un personnage est avant tout un être vivant.

Martial Dassylva
« La Presse »

La pièce est bien caractéristique de son auteur. Jacques Ferron, pour qui le connaît, est un personnage assez fantasque, fantaisiste, peu orthodoxe, capable de loufoquerie et de dignité, aristocrate et populaire à la fois. On le voit dans son texte. Les lieux communs voisinent l'élévation de la pensée, la subtilité côtoie le gros rire facile. On dit que Ferron manie ses personnages à son aise, mais il en est peut-être l'esclave à un moment donné, ce qui expliquerait ces variations. Nous n'avons pas trouvé que c'était du grand théâtre. Il est des choses qui rendent l'objectivité difficile.

« La Voix Gaspésienne », 14-3-68

« Les Grands Soleils » sont une pièce, mais ne sont pas du théâtre. Voilà que c'est fait, alors je me hâte de dire que la pièce de Jacques Ferron devient spectacle (jusqu'à un certain point) par la vertu du décor de Mark Negin, de la mise en scène d'Albert Millaire (dont je reparlerai) et d'une interprétation fort bonne, particulièrement par Guy L'Ecuyer, clochard montréalais en qui l'auteur a mis toutes ses complaisances.

« Photo-Journal », 1-5-68

. . . des quatre pièces canadiennes montées par le TNM, « Les grands soleils » est la meilleure. Ferron n'a pas l'encre poétique d'un Savard ou d'une Anne Hébert, néanmoins, sa poésie ne manque pas de force. Chose certaine, l'auteur des « Grands soleils » comprend mieux que les deux autres qu'avant tout, même la poésie, le théâtre exige une action dramatique.

Pendant que l'on ricane, le drame de Saint-Eustache se joue devant nos yeux. A la fin, on se rend compte que Jacques Ferron a écrit une pièce qui dépasse le nationalisme québécois. Son oeuvre peut être située en Irlande, en Israël, en Corée et aussi au Vietnam. A vrai dire, la liberté et la justice n'ont pas de frontières.

Edgar Demers
« Le Droit », 24-2-68

One-shot stop

NOUVEAU MONDE'S 'SOLEILS' GOOD

By *David Dent*

There was sedition on the stage of Ottawa's Capitol Theatre Monday night — sedition more devastating than the most eloquent pleas of a Rene Levesque.

It was not the greatest play one has ever seen, but in a country where we often tend to say plays are good simply because they are ours, we are safe in claiming Jacques Ferron's « Les Grands Soleils » would be good even if it were not ours.

As the first act begins, Mithridate, the Montreal bum who serves as chorus, tells the audience—it was a capacity audience last night—« the theatre is a vehicle for sedition. »

The next 2½ hours bear him out.

By the end of the play, the story of 200 rebels has expanded into the story of all the guerilla wars, past and present.

The Chinese François Poutre saw die in a burning pagoda in Korea are one with the « Canadiens » who died in a burning church in Ste. Eustache.

Quebec has joined the « Third World. »

David Kent
« Ottawa Journal », 27-2-68

Et « l'appareil de sédition » qu'est le théâtre (c'est Jacques Ferron qui le dit à travers le personnage de Mithridate) fait son oeuvre . . .

Grosso modo, « Les grands soleils » replacent la résistance des Patriotes de Saint-Eustache dans une perspective historique très actuelle. Les Québecois morts à cet endroit en 1837 ont posé le premier jalon d'une action qui aboutira à la souveraineté, voilà semble-t-il le « message » de la pièce.

Denis Tremblay
« Montréal-Matin », 29-4-68

In style the text mingles historical quotations, patriotic and lyric effusions, and much allusive allegory.

But the elements within it never seem to get to the point of contact, let alone the point of conflict. The struggles and aspirations of the « patriots » are talked about, but there is no dramatic justification of them.

Dramatically speaking against what are these people fighting ? By what wrongs are they oppressed ? It is made clear that they are fighting for « freedom » and against the « English. » But the nature of their lack of freedom, the nature of their oppressors is never defined either verbally or in action.

Zelda Heller
« The Gazette », 29-4-68

On me demande mes impressions sur la pièce de Ferron, *Les Grands Soleils,* présentée au collège le 8 mars. C'est embêtant, car j'ai l'impression d'avoir vu deux pièces; j'ai vu deux fois la même pièce, mais dans une atmosphère tellement différente que je crois avoir vu deux pièces : *Les Grands Soleils* de l'après-midi devant 450 jeunes enthousiastes et communicatifs, et *Les Grands Soleils* du soir, en compagnie de deux cents adultes qui réagirent lourdement. Des mots d'esprit qui, l'après-midi, soulevaient le rire collectif et quasi continu, tombèrent le soir dans le silence de plomb d'un auditoire apparemment réfractaire.

Les Grands Soleils provoquent le rire cordial des étudiants et le rire jaune de leurs parents. Allons-nous reprocher aux jeunes leur connivence spontanée avec l'univers farfelu de Ferron où ils reconnaissent leur monde à eux, fait de couleur, de bruit et de mouvement ? Ce serait leur reprocher d'être jeunes . . . Allons-nous, inversement, reprocher aux adultes leur désir naturel d'y voir clair, leur sens critique, leur réflexion ? Ce serait leur reprocher leur maturité . . . !

Alors que faut-il penser de cette pièce ? Faut-il se résigner à son ambiguïté fondamentale ? Elle contient un foisonnement d'éléments hétéroclites qui créent la confusion et qui se nuisent les uns aux autres. Ferron devra élaguer, émonder son arbre trop touffu. Il devra canaliser la verve impétueuse de son improvisation poétique et ne pas chercher à nous faire en même temps rire et pleurer.

Alonzo Leblanc, c.s.v.
« La Voix Gaspésienne », 21-3-68

GUY L'ECUYER SAUVE « LES GRANDS SOLEILS »

C'est une salle comble qui a accueilli le Théâtre du Nouveau Monde, hier soir, au Capitol. On y donnait en reprise, « Les grands soleils », de Jacques Ferron.

« Les grands soleils » est un drame héroï-comique, de l'un des plus curieux des auteurs québécois, et où on passe de l'anticléricalisme le plus gauchisant à la vulgarité la plus facile, d'un lyrisme énergique à des platitudes souriantes. Il semble que de réels talents d'ironiste, voisinent chez Ferron avec un goût douteux pour les aphorismes les plus éculés sur la relativité des actions humaines et les petits côtés des grandes causes. Le spectateur reste quant à lui un peu soufflé devant la vanité de tant de « grands (et gros).

Georges-P. Dubois
« Le Droit », 27-2-68

Such a play, where the dramatic progression is almost imperceptible, relies greatly upon the staging and the acting. As a matter of fact, it seems that the production of the play has entailed, considerable changes in the original text published in 1958.

A preamble has been added in which Mithridate, the hobo, instantly establishes the free and often ironic atmosphere of the play.

In the first two acts, director Albert Millaire inserts a prerecorded historical commentary between most of the scenes. This was obviously deemed necessary to familiarize the audience with historical events to which Ferron's discourse only alludes.

But the process tends to attenuate the almost dreamlike quality of the text which made the shifting from past to present so easy.

The second half has been modified to give the play a more contemporary meaning which, in the finale, collapses into a chaotic and grinding farce. I preferred the more tenderly dramatic ending of the original text, but I must admit that on the whole Millaire's production maintains a good tempo.

J.L. Major
« Ottawa Citizen », 27-2-68

Ecrivain dans le vide, sans véritable éditeur, sans public sinon quelques happy few, il aurait largement mérité une indulgence qu'on se plaît à lui prodiguer par le respect qu'il inspire, si, finalement, une telle indulgence, face à ces « Grands Soleils » ne risquait pas de devenir injurieuse.

Qu'on le chuchote ou qu'on le pense, cette pièce est un échec, dans une oeuvre qui valait par sa promptitude et sa solidité. Elle déploie une conception dramatique impossible à défendre; elle exprime des idées qui, hélas, sont déjà dépassées.

Deux notes

1) Je dois avouer être sorti quelque dix minutes avant la fin de la pièce, mon courage étant à bout et rempli, aussi, de tristesse. Je crois que ces dix minutes manquées ne peuvent en rien modifier ma réflexion. La pièce dure près de trois heures.

2) Il est à remarquer que le titre de la pièce de Jacques Ferron, « Les Grands Soleils », est proche de celui du prix de la francité récemment décerné par l'université de Montréal et qui s'appelait, « Les Soleils des Indépendances ». De l'extérieur le mot « soleil » exprime l'idée d'un jour qui se lève. De l'intérieur, le mythe solaire, et la symbolique qui y réfère, sont aryens. « Les Grands Soleils » sont une oeuvre sur l'indépendance souhaitée; « Les Soleils des indépendances », un livre sur l'indépendance acquise par une jeune République nègre. La croix gammée s'associe directement à la symbolique solaire aryenne. L'idée indépendance impliquerait-elle l'existence d'un danger néo-faciste ?

Jean Basile
« Le Devoir », 11-5-68

L'article de Jean Basile m'a surpris puis éclairé. Auparavant, j'avais douté de ma pièce, c'était pour la raison suivante : au début de sa carrière, elle avait une longueur avant l'entracte. Je la rafistole et la longueur passe au deuxième acte. Cela n'est pas fameux comme amélioration, étant donné qu'après le deuxième acte les gens s'en vont. Ils ont l'impression d'avoir été retenus. Alors ils s'en vont plus vite. C'est ainsi que nous avons perdu les applaudissements de Jean Basile. De plus il en résulte un changement de vedette : Chénier a pris le pas sur Mithridate. J'avais tout lieu d'être inquiet d'une pièce qui se détériorait ainsi. Aujourd'hui je comprends : elle ne flatte plus personne et Mithridate devient franchement inquiétant : quoi ! il représente la liberté.

Jacques Ferron
« Le Devoir », 14-5-68

Vous écrivez dans *Le Devoir* du 14 mai à propos des Grands Soleils : « . . . elle ne flatte plus personne et Mithridate devient franchement inquiétant : quoi ! il représente la liberté ».

Pour le spectateur que je fus — je suis resté jusqu'à la fin — Mithridate n'est pas plus inquiétant qu'il ne représente la liberté. Il est comme toute la pièce, ennuyeux d'un ennui tel que même le talent d'un Moravia n'arriverait pas à le décrire. Je sais plus d'un spectateur qui ayant fait l'effort de réintégrer son fauteuil après l'entracte n'a pu résister au sommeil et a dormi au sens littéral du mot. Ne pas confondre avec ennui et grincements de dents. Les Grands Soleils sont une sorte de long sermon du dimanche comme on en subissait jadis et n'ont rien à voir avec la liberté ou la prise de conscience collective. Et il faut être bien malin pour voir de l'inquiétude dans cet énorme somnifère.

Michel Chalvin
« Le Devoir », 15-5-68

Nous fûmes au Théâtre Port-Royal un soir où le public ne se bousculait pas. Nous pouvions donc nous allonger et dormir en tout confort.

J'ai cherché en vain cet aspect « dépassé » de vos Grands Soleils. Il se peut que je me sois laissé trop aller à rire ou à m'émouvoir. Peut-être aussi n'étais-je pas assez prédéterminé à m'ennuyer.

Albert Brie, 11-6-68

L'idée nationaliste de Jacques Ferron ne manque ni de force ni de générosité, elle exprime une époque négative qui n'est plus la nôtre; elle est significative mais caduque. Bien sûr, elle soulève encore la passion, provoque le rire vengeur, et toute la séquette de petites émotions bien connues à ce jour.

Pourtant, je crois que ces idées nationalistes, qui sont évidemment l'essentiel de la pièce, pèchent par ancienneté. Comme toute chose le nationalisme passe par des étapes. Modifié au-dedans de lui-même, il est aussi fonction du glissement des idées générales qui courent le monde et des modifications qui se font dans le milieu où il fait souche.

Jean Basile
« Le Devoir », 11-5-68

La belle revanche pour vous que de voir le docteur Chénier devenu héros canadien par le scrutin de la télévision d'Ottawa. Et si au lieu d'être dépassé, vos « Grands Soleils » étaient prémonitoires. On pourrait le soutenir aussi et en arriver à la juste mesure qu'ils ont pris à mes yeux, celle d'être actuels. Il n'y a rien de pire que les taupes qui ne veulent pas voir clair. Diogène en a su quelque chose. Rien de nouveau sous les Grands Soleils.

Albert Brie, 11-6-68

C'est en somme toute l'histoire de la nation canadienne-française qu'a entrepris de vous livrer en quatre actes Jacques Ferron. Le dernier de ceux-ci met admirablement bien en relief le contraste entre le Canadien-français d'aujourd'hui et celui d'antan : d'agneau soumis qu'il était, il est maintenant devenu combatif; de traditionaliste, il est devenu progressiste; de clérical, il est devenu libéral — sa religion n'est plus axée sur le Père dictateur mais bien sur le Fils aimant et sympathisant; il prend conscience de son potentiel, découvre comment s'en servir à profit, s'affirme, s'individualise, se personnalise, prend place au soleil quoi . . .

Gaston de Grace
« L'Aviron », 21-3-68

Dans ce drame, il y a un personnage qui nous touche de plus près c'est Félix Poutré (Yves Létourneau). Je ne comprends pas pourquoi Jacques Ferron a utilisé ce nom en modifiant le personnage. Notre Poutré n'a pas à se vanter, mais il était de Saint-Jean et non de Saint-Eustache. L'auteur se fout de l'histoire, il a peut-être raison mais rétablissons les faits. Félix Poutré, cultivateur de Saint-Jean, fut un espion au service du gouvernement. Dûment payé, il travaillait contre les patriotes. Enrôlé de force il déserte. Pris et emprisonné il en sort grâce aux nombreux services rendus à l'autorité anglaise. Et il aura le culot de se présenter comme un héros; Fréchette le célébrera. Un personnage dont nous ne sommes pas très fiers mais il fait partie de notre patrimoine. Ferron non plus ne l'aime pas puisqu'il le fait sortir de scène à quatre pattes. C'était une scène pénible. Peut-être la plus dramatique. D'ailleurs, plus que l'Anglais, notre ennemi c'est le Chouayen, le colonisé.

« Les grands soleils », une grande page d'histoire, témoin d'un vent nouveau, que jouent fort bien tous les interprètes. Mentionnons que ce drame y gagnerait, à mon avis, si on écourtait la longue discussion, au dernier acte, où le Canadien errant raconte son histoire à Mithridate.

Jean-Yves Théberge
« Le Canada français », 8-2-68

Si la pièce de Jacques Ferron fait rire, elle fait aussi réfléchir. Ce pèlerinage dans le passé est vivifiant. Comme le disait l'auteur : « La pièce se termine sur un triomphe, parce que c'est un cérémonial, c'est-à-dire la transformation d'une petite défaite en victoire. » Avons-nous une conscience nationale ? Après avoir vu « Les Grands Soleils », j'en suis un peu plus sûr.

« Le Peuple », 7-3-68

Mieux que quiconque, Jacques Ferron a inventé le folklore de notre humiliation et de la folle espérance que le temps finira par arranger l'Histoire. Car c'est à un spectacle folklorique que nous conviait le TNM, dimanche soir, au théâtre Port-Royal. On peut difficilement imaginer une meilleure présentation, une distribution aussi bonne, un dispositif scénique (Mark Négin) plus efficace.

La scène se passe au square Viger avec comme animateur notre robineux qui voit juste et en qui l'auteur a mis toutes ses complaisances, c'est évident. 1837 revit en 1968 et les personnages d'alors se retrouvent à notre époque pour revivre l'humiliation de Saint-Eustache et en découvrir toute la signification. François Poutré (Jean Perraud) revient justement d'Asie où, mercenaire, il a combattu contre des semblables sans le savoir et à qui Mithridate révèle sa bêtise.

André Major
« Le Devoir », 30-4-68

Serreau qui s'intéresse depuis quelques années au théâtre étranger de langue française (Césaire, Yacine, etc.) a assisté à une représentation des « Grands Soleils » au Port-Royal et voit une parenté évidente entre les deux dramaturies : une sorte de lyrisme vigoureux, un côté sakespearien qui se traduit par une grande liberté dans la construction, voilà des points communs que mon interlocuteur détecte entre les poètes d'ici et les poètes du tiers-monde.

Et il ajoutera : « Vous avez en commun avec les poètes du tiers-monde, un besoin évident de récrire votre histoire, de faire l'histoire vraie. C'est vrai en Algérie et partout aux Antilles. Ce qui m'intéresse aussi, c'est que vous faites partie de pays ex-colonisés qui contestent les vieux mots usés de la langue d'une civilisation en perte de vitesse. Ce phénomène, vous le retrouvez dans beaucoup de pays à l'heure actuelle. »

Selon lui, sans doute sous l'influence des pays du tiers-monde, la dramaturgie, parce qu'elle lutte contre l'usure des mots et des civilisations, prend une direction plus lyrique.

Jean-Marie Serreau interviouvé
par Martial Dassylva, 1-6-68

J'ai déjà écrit que « Les grands soleils » marque un pas important, sinon le plus grand, dans l'histoire de notre jeune théâtre. Pour la première fois, en effet, notre théâtre s'anime avec la force de l'humour, de l'ironie et de la satire. Pour la première fois aussi, notre théâtre peut parler au « monde des patries ». La Pièce de Ferron incarne notre réalité québécoise à même l'éternel combat de l'homme : celui entre la vie et la mort. « Les grands soleils », c'est la difficile naissance d'un peuple — nous — c'est la déchirure et le premier cri, c'est aussi la rude joie d'un printemps nouveau, d'une saison qui s'élève, à partir des racines d'un sang tragique : celui des morts. Le sang noir de l'histoire a des soleils cachés — et qui sont les vrais — les grands soleils de l'amour, de la sagesse, de l'action vraie. Cette dure naissance « au monde des patries ». Il y a aussi cette souffrance de naître. « C'est tout de même beau, conclut Chénier, un enfant qui n'a pas fini de naître et qui crie, fâché. » — « C'est la seule façon de commencer », répond Sauvageau. Voilà situé tout le drame. Qui reste le nôtre aujourd'hui. Tant que la naissance ne sera pas complètement assumée.

Cela n'a rien d'historique dans le ton, en définitive. « Les grands soleils », c'est l'humour et le lyrisme réunis dans le coeur de l'humain. A même la conscience de naître, de posséder. Cela nous concerne. Et concerne toute la terre des hommes. De Papineau au Général Ki, en passant par Mao Tsé Toung et le cardinal Spellman, « Les grands soleils », c'est cette révolution qu'enseigne Sauvageau au Dr Chénier : « Les morts sont patients. D'autres soleils viendront, qui éclaireront la patrie que vous aurez fait naître ».

Jean Royer
« L'Action », 29-2-68

La pièce du docteur Ferron, *Grands Soleils,* est la première pièce de théâtre québécois à laquelle j'assiste qui ne soit pas écrite au conditionnel. C'est un magnifique exemple (combien précieux et exaltant) de ce que peut être un théâtre dé-colonisé. De ce que peut être un théâtre québécois libre. De ce que peut être un théâtre libéré. Pour l'écrire, le Dr Ferron a dû suivre la voie la plus difficile : celle de se libérer lui-même, avant, des chimères de notre histoire. Les *Grands Soleils* n'ont pas été écrits par quelqu'un qui voulait beaucoup mais par quelqu'un qui savait beaucoup. C'est une pièce touffue, subtile, maligne, subversive, lucide. J'y ai vu et reconnu au passage des symboles, des prolongements historiques, des significations, des élucidations, des mythes. J'y retournerais demain — et il se peut fort bien que j'aille la revoir — et je sais que j'en découvrirai d'autres.

Les *Grands Soleils,* c'est une pièce majeure. Elle a été écrite dix ans trop tôt et, si j'en juge par l'accueil glacial que lui ont fait les habitués du T.N.M., elle a été présentée dix ans trop tôt. Il faudrait peut-être le taire, mais à mon avis, c'est là une réaction typique de colonisés qui veulent oublier le passé comme si on construisait l'avenir en regardant en avant. Tout aurait été plus simple si Ferron avait fait de Chénier un héros héroïque, et caricaturé le curé et l'habitant. Ça aurait été noir sur blanc : des bons et des méchants, des gens qui ont tort et des gens qui ont raison. On aurait pu s'identifier aux bons, rire des méchants — surtout si l'auteur avait fait des bons mots au lieu de lancer à la face de tout un chacun des vérités gênantes — et retourner chez soi la conscience en paix, c'est-à-dire endormie. Ferron, lui, a choisi de rendre justice au curé, au patriote et à l'habitant; de rendre justice à tout ce monde-là en même temps.

Jean-Claude Germain
« Le Petit-Journal », 19-5-68

S'en prendre à la conscience collective qui préside à celle de chacun, essayer de la modifier, c'est en soi une grande entreprise; elle donne satisfaction, qu'on réussisse ou pas.

Jacques Ferron
« Le Devoir », 14-5-68

Tante Élise

Tante Élise

ou le prix de l'amour

L'enseigne de l'hôtel, un escalier, un téléphone.

L'hôtelière
Eh bien, mon mari ?

L'hôtelier
A la dernière minute je me suis ressaisi : le prix n'est pas tout, il y a le renom de l'hôtel.

L'hôtelière
Les acheteurs m'avaient paru respectables.

L'hôtelier
Des faux prêtres qui eussent remplacé l'enseigne des deux pigeons par un portrait de pape.

L'hôtelière
Les fois précédentes ils étaient gagnestères qui l'eussent remplacé par celui d'une femme toute nue.

L'hôtelier
Je ne vendrai pas à des extrémistes. Nous avons fait carrière dans le juste milieu, favorisant l'amour et la vertu, conviant à la félicité des deux pigeons les jeunes époux et les amants timides qui sont venus en toute confiance; nous ne pouvons pas les abandonner à des brutes de bonne ou de mauvaise volonté; mon successeur continuera de les servir à la même enseigne que moi.

L'hôtelière
Il ne faudrait rien exagérer sur le point d'amour et de vertu : tes pigeons ne valent pas mieux pour la literie que le faux pape et le gagnestère couchés ensemble. Et puis, je t'avertis, mon mari : tu ne me garderas pas éternellement à laver des draps, à refaire les lits, à effacer les traces d'unc passion toujours recommencée. Les jeunes gens sont peut-être gentils, je n'en sais rien : c'est toi qui les vois; mais leur amour, c'est moi qui le vois dans l'envers du décor, vieux monstre devenu gâteux qui se redit en perdant sa salive. Je ne peux plus souffrir son couplet.

L'hôtelier
Patiente encore : dans un an au plus l'hôtel aura été vendu.
L'hôtelière
Je t'accorde un mois, pas un jour de plus.
L'hôtelier
Eh, ma femme, tu me bouscules !
L'hôtelière
Voilà vingt ans, mon mari, que tu me caches le soleil. J'ai décidé de sortir de l'ombre. Si je ne te bouscule pas je finirai mes jours avec le monstre.
L'hôtelier
Bon, dans un mois, c'est promis. Et nous irons finir nos jours à la campagne. Es-tu contente ?
L'hôtelière
Je le serai, l'hôtel vendu. Autrement, tel que je te connais, je n'en finirais pas d'un mois à l'autre de me contenter de promesses.
L'hôtelier
Jusqu'aujourd'hui ces promesses ont suffi.
L'hôtelière
Elles ne suffisent plus.
L'hôtelier
Je me le tiens pour dit... Je ne sais pas lequel je choisirai : le gagnestère ou le faux prêtre ? C'est curieux, mais je serais plutôt porté vers le premier. Et toi, ma femme ?
L'hôtelière
Le premier venu.
L'hôtelier
Pauvres pigeons !
L'hôtelière
Ne t'en fais pas : ils ont la vie dure. Et puis, sait-on jamais, tu trouveras peut-être un successeur à ta convenance.
L'hôtelier
(au téléphone) Allo... Oui, mademoiselle... Une chambre double et hygiénique pour votre nièce et son jeune époux, oui, mademoiselle. Avez-vous une préférence quant au lit : lit de crin, lit de plume, lit d'éponge; le matelas est la spécialité de la maison. Dans le cas je vous recommanderais le lit de crin, qui favorise les mouvements... Vous êtes aussi pour le dur... Pas de lit du tout ! Vous voudriez qu'ils couchent par terre... La méthode a sans doute du bon, je ne la critique pas; je me demande seulement si votre nièce l'appréciera... Elle est grasse, oui, je comprends, mais elle pourrait quand même exiger un lit... Ah ! vous la déshériteriez... Oui, sans doute, le lit n'est pas

l'essentiel et des amants passionnés s'en sont déjà passé, quoique le plus souvent, mademoiselle, ils ne parvenaient pas à l'hôtel... Non, ils restaient dans les champs... Oui, j'avoue, ce n'était pas hygiénique... Oui, mademoiselle, je prends note... Merci, mademoiselle... Bonsoir, mademoiselle.

L'hôtelier

Elle a de l'air sous la perruque. Qu'allons-nous faire, ma femme ?

L'hôtelière

Lui donner satisfaction. Elle ne me déplaît pas du tout, cette vieille tante.

L'hôtelier

Elle exagère !

L'hôtelière

Elle paiera du supplément.

L'hôtelier

Aurais-tu accepté, toi, de passer ta première nuit de noce dans une chambre où il n'y avait pas de lit ?

L'hôtelière

Je ne sais pas, mon mari, et ne veux pas savoir; j'ai trop lavé de draps pour avoir le goût d'argumenter sur une affaire de couchette. Je monte préparer la chambre. Si les mariés s'amenaient, retiens-les : j'en aurai pour quelque temps. *(Elle sort.)*

L'hôtelier

Je les retiendrai sans déplaisir; je n'ai nulle hâte de les voir monter : de quoi auront-ils l'air, ces pauvres enfants, comme deux explorateurs qui ne trouveraient pas de pirogue au bord d'un fleuve nocturne ? Ils se sentiront perdus au milieu d'un monde hostile. La machination, dont ils seront les victimes, met sans doute de l'imprévu là, où pour les habitués il n'y en avait plus; elle rajeunit le monstre dont ma femme a parlé; elle n'en reste pas moins odieuse. Il fallait qu'une vieille fille en ait l'idée. Elle se figure peut-être, la demoiselle, que sa pauvre nièce lui en sera reconnaissante ! A ce compte pourquoi l'a-t-elle envoyée à l'hôtel ? Elle aurait dû la servir à l'époux sur sa table de cuisine ! Non ! mais a-t-on jamais vu pareille affaire ? Pas de lit, et dans un établissement comme le mien, réputé pour ses matelas ! Parbleu, j'y pense : c'est la persécution des pigeons qui commence ! Où avais-je la tête ? Non, ce n'est vraiment pas à moi de jouer les indignés : « oui, mademoiselle, ai-je dit, vous avez bien raison ». J'ai accepté le principe de sa machination; j'y participe même. Ah, je suis beau ! Me voici devenu faux prêtre et hôtelier félon. Pauvres pigeons, je vous ai trahis ! Mon abdication est signée; il ne me reste plus qu'à trouver un successeur et par un choix judicieux regagner mon honneur... J'ai bien envie de ne pas répondre.

L'hôtelier

(au téléphone) Allo... Oui, je vous reconnais, mademoiselle... Non, mademoiselle, vous vous trompez : je suis bien aise de vous entendre. Que puis-je faire pour votre service ?... Non, ils ne sont pas encore entrés... La chambre nuptiale est prête, vide comme le tombeau d'une vierge qui ne serait pas curieuse... De mourir, mademoiselle... Une allusion ? Non, une simple image... Cette virginité vous semble déplacée ? Il faut s'entendre : au tombeau, oui, peut-être, mais dans une chambre nuptiale... Excusez-moi, mademoiselle... Les jeunes époux ne sauraient tarder ? C'est aussi mon avis, car on sonne à la porte... Vous me rappellerez ? Bien, mademoiselle.

L'hôtelier

Folle, il n'y a pas de doute, mais elle n'est peut-être pas méchante. Enfin, on verra. *(Il sort pour revenir avec les époux.)*

L'hôtelier

Vous avez là de beaux portunas.

Elle

C'est le cadeau de tante Elise.

L'hôtelier

Tiens ! D'ordinaire c'est un oncle qui les donne; et il les choisit en peau de cochon.

Elle

Ceux-ci le sont.

L'hôtelier

Oui, en effet. A-t-elle aussi choisi votre mari ? Non, je vois.

Elle

A quoi le voyez-vous ?

L'hôtelier

Il rougit; vos portunas restent imperturbables.

Elle

Vous avez le coup d'oeil rapide.

L'hôtelier

Entrainement du métier.

Elle

A propos, c'est tante Elise qui nous a recommandé votre hôtel.

L'hôtelier

Elle a sans doute beaucoup voyagé.

Elle

Euh... oui, beaucoup... Pourquoi ris-tu chéri ?

L'hôtelier
Sa recommandation est le fait d'une personne avertie. Que vient-on chercher à l'hôtel ? Un abri, la discrétion, mais principalement un lit. Or sur ce point vous en jugerez, mes enfants, nous ne décevons personne : le matelas est la spécialité de la maison. Nous en avons pour tous les genres et pour toutes les causes, pour celui de votre vieille tante, auquel nous avons sans doute convenu puisqu'elle se souvient de nous, comme pour celle qui vous amène . . . Ne riez pas, monsieur, c'est une noble cause !

Lui
C'est au genre que je pense.

L'hôtelier
Mademoiselle . . .

Elle
Madame.

L'hôtelier
Au point où vous en êtes la méprise est permise.

Elle
Tu entends, chéri ? Et tu trouves le temps de rire !

Lui
A qui la faute ? S'il n'en avait tenu qu'à moi ce point serait depuis longtemps dépassé.

Elle
Je n'ai pas voulu à cause de tante Elise, mais à présent que nous sommes passés par l'église, rien ne t'empêche de reprendre le temps perdu.

L'hôtelier
Auparavant, dites-moi : cette tante . . .

L'hôtelier
(au téléphone) Allo . . . Oui, je vous reconnais . . . Oui . . . Oui . . . Tout va bien, je ne peux pas dire mieux . . . Oui, . . . C'est ça : rappelez-moi. Au plaisir, mademoiselle.

L'hôtelier
Elle est dans les transes.

Elle
Tante Elise ?

L'hôtelier
Voyons ! La personne qui me téléphonait, vous savez bien.

Elle
Qu'as-tu à rire, toi ? C'est simple : chaque fois qu'on mentionne devant lui le nom de tante Elise, il rit. Elle est pourtant notre bienfaitrice.

L'hôtelier
Il doit être chatouilleux au point de la reconnaissance.
Elle
Ce n'est pas son point sensible. Il rit parce qu'il la trouve ridicule.
L'hôtelier
Je dirai alors qu'il a un peu raison.
Elle
Parce qu'il est méchant.
L'hôtelier
Je dirai qu'il a tort.

(Sonnerie de la porte. L'hôtelier sort.)

Elle
Cela t'ennuie ?
Lui
Oui, un peu.
Elle
Moi de même, mais que veux-tu ? c'est la journée des cérémonies.
Lui
J'ignorais que l'hôtelier eût la sienne.
Elle
Tu ne sais pas tout, chéri.
Lui
Je n'ai pas été élevé par une vieille fille.
Elle
Cela n'a pas d'importance : on ne juge pas un mari à son information.
Lui
A quoi donc, s'il te plait ?
Elle
A son instinct paternel.
Lui
Ah, bon !
Elle
Aux enfants qu'il a derrière lui, dont les sourires et les regards s'expriment encore par les siens . . . Ton visage est beau, chéri.
Lui
En vois-tu beaucoup ?
Elle
La fenêtre est étroite, les plus grands cachent les plus petits; je ne saurais tous les compter, mais il y en a suffisamment pour commencer.
Lui
Peut-être devrions-nous acheter l'hôtel afin qu'ils aient chacun leur lit ?

Elle
Ça serait une bonne idée.

L'hôtelier
(revenant) J'ai refusé : c'était un zouave. Je vendrai mon hôtel à un bon vivant sans uniforme ni préjugé, à votre tante, si vous voulez. Comment est-elle ?

Elle
Elle vous intrigue ?

L'hôtelier
Elle n'est pas comme les autres.

Lui
Ne me dites pas qu'il y en a d'autres.

L'hôtelier
Tous les jeunes époux ont une tante Elise, qui donne à sa nièce, selon qu'elle garde un souvenir ému de son voyage de noce, des culottes brodées, des jupons transparents, des déshabillés exotiques, et, si c'était possible, une gondole avec le gondolier et le clair de lune; ou, dans le cas contraire, des articles de ménage, des chaudrons de fonte, des fourchettes longues, des couteaux cruels, et, si c'était possible, un torchon qu'elle lui remettrait en disant : « frotte, pauvre petite misérable ».

Elle
Ce n'est pas la nôtre dans un cas ni dans l'autre.

Lui
Tante Elise est vierge.

L'hôtelier
A-t-elle vraiment voyagé ?

Elle
Chéri, tu es inconvenant : à son âge on dit célibataire.

L'hôtelier
Célibataire : cela change tout; je pouvais bien ne pas la reconnaître ! C'est une tante Elise sans expérience, tout entière tournée vers l'avenir.

Lui
A soixante-quinze ans.

Elle
Elle est extraordinaire.

L'hôtelier
Dans ce qu'elle donne elle met du sien comme tout le monde, mais un sien plus intime, resté mystérieux, qui ne s'est pas accompli, fait de vieux désirs, de soupirs inutiles, de tendresses perdues, et peut-être même d'une ardeur incombustible, d'une fougue, d'une bombe, dont elle n'aurait pas la mèche.

Elle

Elle est extraordinaire ! Toi, cesse de rire ou je me fâche ! Tante Elise nous donne encore plus que je ne pensais.

Lui

Je te crois : une bombe !

L'hôtelier

La bombe est peut-être exagérée, mais sait-on jamais ? On ne peut pas dire ce qu'aurait pu faire une personne qui n'a rien fait, si elle s'était décidé à le faire.

Lui

En tout cas il est bien tard pour commencer.

L'hôtelier

Elle commence quand même et c'est avec vous.

Lui

Ah !

Elle

Cela te déçoit, chéri ?

Lui

Non, mais cela me gênera bientôt.

L'hôtelier

Prenez ces portunas, qu'elle vous a donnés : ils sont trop beaux pour qu'il soit vrai qu'elle ait beaucoup voyagé.

Elle

Je vous ai trompé : elle n'a jamais été plus loin qu'à l'épicerie du coin.

L'hôtelier

Vous êtes donc son premier voyage. Avouez qu'il n'est pas mal choisi : un voyage de noce après soixante-quinze ans de célibat. Allez, mes enfants, ne la décevez pas; vos joies et vos plaisirs seront les siens.

Elle

Tu ne ris plus, chéri !

Lui

Non.

Elle

Viens, tu es fatigué : il est temps de monter.

L'hôtelier

En effet : à son âge on peut mourir subitement. Mieux vaut après qu'avant, n'est-ce pas ?

Elle

Viens donc vite, chéri.

Lui

Cela te plaît vraiment ?

Elle
C'est approprié, je trouve, à la circonstance; elle aurait pu nous demander quelque chose de moins convenable.

Lui
Elle te vieillit, cette tante.

Elle
Viens, je la rajeunirai, tu verras.

L'hôtelier
Ils sont beaux, ces portunas, mais légers.

Elle
Je crois bien : ils sont vides ! Tante Elise nous les a donnés avec défense de n'y rien mettre.

L'hôtelier
Elle n'est pas bégueule.

Elle
Non, elle s'est toujours bien conduite; elle n'a pas lieu de l'être . . . Tu devrais rougir, chéri.

Lui
Et toi ?

Elle
Moi, je n'ai pas à rougir : tante Elise, depuis un demi siècle et plus, a toujours été habillée du cou jusqu'aux pieds et d'un poignet à l'autre sans solution de continuité; oserais-tu prétendre qu'elle n'a pas mérité que je la venge et que dans le plus simple appareil, ô mon chéri, je tienne tête à ta pudeur et ne rougisse pas ?

L'hôtelier
Dans ce cas il sera superflu de les monter.

Elle
Mon mari en aura besoin.

Lui
Pourquoi, chérie ?

Elle
Pour te cacher.

Lui
Tante Elise nous les a donnés à condition de n'y rien mettre.

Elle
Comme tu es brave ! Tu tiendras donc tête, toi de même, à ma pudeur !

L'hôtelière
(dans l'escalier) Vous êtes les nouveaux mariés ? Montez, je vous prie : votre chambre est prête. Et les portunas, mon mari ?

L'hôtelier
Ils n'en auront pas besoin.

Elle
Monsieur mon mari a décidé de ne pas se cacher.

L'hôtelière
Ah !

Elle
Tu es tout rouge, mon beau chéri ! *(ils sortent, lui et elle, précédés de l'hôtelière.)*

L'hôtelier
Nous sommes prêts à commencer le récit des opérations; sonnez, tante Elise. La nièce, bien entendu, est superbe. Le petit mari semble plein de vaillance, quoique un peu gêné par la présence tierce; il finira par l'oublier. Eh bien, tante Elise, sonnez ! C'est le moment ou jamais de voyager. Moi je suis prêt, impatient même, pris à votre jeu... Ah, la voici !

L'hôtelier
(au téléphone) Allo... Oui, monsieur... Quel genre de lit ? Lit de crin, lit de plume, lit d'éponge; le matelas est la spécialité de la maison... Si monsieur est seul je lui conseillerai le lit de plume... Oui, monsieur... Très honoré... Bonsoir, monsieur.

L'hôtelière
(redescendue) Je te laisse, je suis fatiguée.

L'hôtelier
Tu n'es pas curieuse !

L'hôtelière
Tu sais, moi, les histoires de couchette...

L'hôtelier
Je sais, mais aujourd'hui c'est différent : il n'y a pas de couchette.

L'hôtelière
J'ai eu pitié d'eux : j'ai mis de la paille dans un coin.

L'hôtelier
Attends; tu verras le résultat.

L'hôtelière
Je le vois déjà : des brins de paille dans leurs cheveux.

L'hôtelier
Des brins, qui t'en rappelleront d'autres; je ne les ai pas oubliés, moi.

L'hôtelière
Tu as toujours eu la tête molle, mon pauvre mari; les moindres choses te laissent une impression dans le cerveau.

L'hôtelier
Tu les avais dans le chignon. Les passants nous arrêtaient pour nous demander des nouvelles des champs : y restait-il quelque

chose à glaner ? C'était par un après-midi d'automne; le soleil achevait de mûrir les pommes, et toi-même, tu rougissais. Ah, le bon souvenir !

L'hôtelière

J'ai pris quelque plaisir, je t'avoue, à mettre un peu de paille dans le coin de cette chambre.

L'hôtelier

Dois-je comprendre qu'enfin cet hôtel te plaît ?

L'hôtelière

J'en ajouterai chaque jour et quand la chambre sera pleine, je prendrai plus grand plaisir encore à y mettre le feu : tant pis si l'hôtelier brûle avec l'hôtellerie !

L'hôtelier

Pauvre homme !

L'hôtelière

En attendant, c'est sa femme qui est à plaindre. Depuis vingt ans elle va et vient dans le même corridor; les portes sont fermées, et si par hasard il y en a une d'ouverte, c'est que les clients sont partis ou que la chambre n'a pas été louée; elle soigne le lit de personnes qu'elle ne voit jamais, ou si peu ! Or elle veut voir, elle veut toucher, elle veut changer de clientèle.

L'hôtelier

Nous connaissons ses exigences : un coin de terre à la campagne et quelques animaux.

L'hôtelière

De vrais animaux, qui seront tous ensemble, que je ne soignerai pas à l'aveuglette, que j'aurai toujours sous les yeux, que je pourrai toucher de mes mains.

L'hôtelier

A moins que nous ne transformions l'étage des chambres en un grand dortoir : tu aurais là une sorte d'étable à ta disposition.

L'hôtelière

Mais je garderais les mêmes clients moitié poil, moitié coton, des hybrides, des bêtes manquées, tarées, honteuses, qui ne peuvent pas voir un drap sans se cacher dessous : non, merci ! Mon troupeau sera de race pure.

L'hôtelier

J'admets que le péché originel l'ait affecté en l'arrachant à sa nature de singe; que, moitié poil, moitié coton, il soit honteux, mais l'homme reste quand même un animal intéressant, du moins par l'élocution. Je pouvais m'entendre avec lui.

L'hôtelière

A quoi sert la parole si ce n'est à mentir ?

L'hôtelier
Elle aide aussi à la conversation. J'en eus ma part, je peux me taire. Va, je te suivrai, ma femme, où tu iras. A toi de prendre ta part muette et d'être heureuse là-bas comme je l'ai été ici. Chacun son tour, c'est le partage des vieux époux.

L'hôtelière
Où vas-tu, mon mari ?

L'hôtelier
Me reposer quelques minutes.

L'hôtelière
Fais vite; je n'aime guère répondre aux clients.

L'hôtelier
Dis-leur ce que tu penses d'eux. *(Il sort.)*

L'hôtelière
Ils ne me croiraient pas.

Elle
(descendant) Qu'est-ce que cela signifie ?

L'hôtelière
Je me le demande aussi.

Elle
Vous ne le savez pas !

L'hôtelière
Je ne sais même pas de quoi il s'agit; ne m'en demandez pas le sens. D'ailleurs cela ne m'intéresse pas. Je fais les chambres, un point, c'est tout. Si vous avez des réclamations, adressez-vous à mon mari : il aime la conversation; moi, pas.

Elle
Vous faites les chambres d'une drôle de façon !

L'hôtelière
Je les fais de mon mieux.

Elle
Vous portez une attention toute particulière au lit.

L'hôtelière
Ordinairement, oui : le matelas est la spécialité de la maison; mais il peut arriver que je m'en désintéresse.

Elle
Quand il n'y a pas de lit.

L'hôtelière
Je mets alors de la paille dans un coin.

Elle
Vous êtes trop bonne.

L'hôtelière
Cela me rappelle des souvenirs.

Elle
Etes-vous sérieuse ?
L'hôtelière
Pourquoi rirais-je ?
Elle
En effet, la plaisanterie n'est pas drôle.
L'hôtelière
Je ne ris pas.
Elle
Mon mari non plus, allez !
L'hôtelière
Comme je le comprends !
Elle
Il est même très fâché.
L'hôtelière
Cela l'affaiblira et vous y perdrez.
Elle
Ainsi vous trouvez normal que nous couchions sur la paille !
L'hôtelière
Moi, vous savez, cela m'est égal; les histoires de couchette ne m'intéressent plus.
Elle
Il nous manque le morceau principal.
L'hôtelière
Vous vous dépréciez.
Elle
Dans cette chambre sans lit mon mari est comme un flûtiste à qui l'on eût caché la flûte. Ce n'est pas un tour à jouer à un musicien sérieux.
L'hôtelière
S'il aimait vraiment la musique il la sifflerait avec ses lèvres. D'ailleurs vous ne me ferez jamais croire qu'un lit puisse se comparer à une flûte; je suis encore éreintée d'avoir préparé votre chambre.
Elle
C'est vous qui avez enlevé le lit ?
L'hôtelière
Morceau par morceau; c'est un instrument de musique qui tient plutôt du piano.
Elle
Pourquoi avez-vous fait ça ?
L'hôtelière
Et vous, pourquoi ne vous êtes-vous pas couchée sur la paille ? Vous n'en seriez pas morte. En voilà des façons ! Je connais

quelqu'un qui ne les prisera guère. *(Sonnerie.)* Mon mari, le téléphone. *(Elle sort.)*

L'hôtelier

(au téléphone) Allo... Oui, mademoiselle, je vous reconnais... Quelles nouvelles ? Mon Dieu, j'ignore quel est le vôtre, mais à mon point de vue elles sont plutôt mauvaises, très mauvaises ! On peut me traiter de haut ou m'ignorer tout simplement, je l'accepte et ne plaindrai pas si jamais on le fait; je n'admets pas toutefois qu'on me bouscule... Oui, mademoiselle, tant ils étaient pressés de monter; si je ne leur avais pas cédé le passage, ils m'auraient passé sur le corps; de véritables sauvages... Non, je ne peux pas les excuser... Non, mademoiselle... La passion ? Moi, je veux bien qu'ils en aient, mais pas au point de me fouler aux pieds... Votre coeur ? Allo ! Allo !... Cela va mieux ? Vous m'avez fait peur. Oubliez ce que je vous ai dit : ils sont vos neveux; je leur pardonne... C'est pour vous, mademoiselle... Si je crois qu'ils redescendent ? Non, mademoiselle, pas au train où ils sont partis... La passion ?... Votre coeur ?... Oui, je comprends. Bien, mademoiselle, rappelez-moi.

L'hôtelier

Pauvre vieux coeur !... Tiens ! on délaisse déjà son mari ! Vous aurait-il déçue ?

Elle

Non, je venais... tout simplement... faire un tour.

L'hôtelier

Me demander quelques conseils ?

Elle

Oui, c'est ça.

L'hôtelier

Quoi, vous remontez !

Elle

Réflexion faite, je crois que nous pourrons nous débrouiller seuls.

L'hôtelier

C'est beaucoup mieux : la tierce personne, qu'on mêle aux affaires du couple, vient souvent du Diable... Vous aimez votre chambre ? La vue y est ravissante, n'est-ce pas ?

Elle

Oui, ravissante... Vous téléphone-t-on souvent ?

L'hôtelier

On se tient au courant de tout, madame.

Elle

Nous sommes donc un peu à votre merci.

L'hôtelier
Un peu ? Vous voulez rire ! Mais je vous fais faire tout ce que je veux.
Elle
On jugera aux résultats.
L'hôtelier
Vous ne serez pas déçus, je crois.
Lui
(survenant) Eh bien ?
Elle
(remontant) Je vais me coucher.
Lui
Te coucher !
Elle
Est-ce que je suis l'homme du ménage, moi ? *(Elle sort.)*
L'hôtelier
Elle est simplement la nièce de tante Elise.
Lui
Je ne vous ai rien demandé; de quoi vous mêlez-vous ?
L'hôtelier
De ce qui ne me concerne pas; je m'excuse.
Lui
Que signifie cette bouffonnerie ? Votre hôtel, parait-il, est réputé pour ses lits : lit d'éponge, lit de mousse, lit de crin . . .
L'hôtelier
Et à partir d'aujourd'hui : lit de rien, celui même que vous étrennez, chanceux que vous êtes !
Lui
Croyez-vous que nous nous contenterons d'une chambre vide ?
L'hôtelier
Vos portunas le sont.
Lui
Si nous avions soif, serait-ce une raison pour nous tendre une coupe vide ?
L'hôtelier
Vous pourriez boire à la source.
Lui
Nous pourrions coucher dans les champs.
L'hôtelier
D'autres avant vous l'ont fait, mais ce n'était pas hygiénique.
Lui
Trêve à la plaisanterie : donnez-nous un lit ou nous irons coucher ailleurs.

L'hôtelier
Allez, monsieur, allez !
Lui
(après une fausse sortie) Quel intérêt avez-vous à nous traiter ainsi ?
L'hôtelier
La location d'une chambre.
Lui
Quel plaisir ?
L'hôtelier
Aucun.
Lui
Ah, je comprends !
L'hôtelier
Pourquoi riez-vous ?
Lui
Elle est folle, n'est-ce pas ?
L'hôtelier
Elle est peut-être folle, mais vous serez déshérités . . . Pourquoi ne riez-vous plus ? C'est pourtant drôle : elle eût désiré que vous fussiez un amant sauvage et qu'aveuglé de passion vous ne vous aperçussiez pas de l'absence du lit.
L'hôtelière
Tu as sonné ?
L'hôtelier
Monsieur prétend que son épouse n'apprécie pas la paille.
L'hôtelière
Faudra-t-il remonter le lit ?
L'hôtelier
Donne-leur une autre chambre.
L'hôtelière
Quel genre de matelas désirez-vous ?
Lui
Cela m'est bien égal.
L'hôtelière
Et à moi donc !
L'hôtelier
De crin.
L'hôtelière
(avant de sortir) C'est bien.
L'hôtelier
Vous semblez soucieux.
Lui
Je n'ai pas été habile.

L'hôtelier
Vous auriez dû deviner qu'après soixante-quinze ans de célibat on a le désir extravagant.
Lui
Après une journée de cérémonies on pense à se coucher tout bonnement dans un lit.
L'hôtelier
Hélas !
Lui
Elle nous a soumis à toutes les convenances.
L'hôtelier
Elle a toujours été convenable.
Lui
Et elle nous déshérite parce que nous avons perdu le sauvage en cours de route.
L'hôtelier
Le sauvage qu'elle attendait dans cette chambre vide.
Lui
C'était un guet-apens.
L'hôtelier
L'héritier ne s'en est pas tiré.
Lui
Il était seul, la vieille avait des complices.
L'hôtelier
Il était seul avec l'héritière; il n'avait qu'à la prendre pour tenir l'héritage; sa fortune gisait sur la paille; il lui a préféré un lit dans lequel il couchera tout nu.
Lui
Les complices auraient pu se taire.
L'hôtelier
Ils n'auraient pas été complices.
Lui
La vieille folle les tenait par la cupidité. Vous êtes un joli monsieur !
L'hôtelier
Mon Dieu, je gagne ma vie le plus honnêtement que je peux.
Lui
Le superlatif est ici un diminutif.
L'hôtelier
Nous rêvons, ma femme et moi de finir nos jours à la campagne.
Lui
Avec beaucoup d'animaux autour de vous.
L'hôtelier
Les animaux sont l'idée de ma femme.

Lui
Elle a du goût !
L'hôtelier
Elle les préfère aux jeunes époux. En vue de réaliser notre projet nous amassons des sous; tout se paie de nos jours.
Lui
Dites que tout s'achète.
L'hôtelier
Je ne vois pas la différence. Il est dommage que vous ayez perdu votre héritage : nous vous aurions vendu l'hôtel.
Lui
Pour y loger nos enfants ?
L'hôtelier
Oui. Auparavant vous auriez pu continuer votre voyage de noce, passant d'une chambre à l'autre et devenant expert en matière de lit, la spécialité de la maison.
Lui
Vous voudriez me faire marcher.
L'hôtelier
Si peu : la distance d'une chambre à l'autre.
Lui
Et si je marchais !
L'hôtelier
Ne vous fatiguez pas.
Lui
Si j'avouais que j'aspire à vous succéder.
L'hôtelier
L'aveu serait plus facile que d'acheter l'hôtel.
Lui
Et si je l'achetais ?
L'hôtelier
Avec quoi, je vous prie ?
Lui
Avec l'héritage.
L'hôtelier
Ce jeune homme est un peu fou.
L'hôtelière
(redescendue) Je ne trouve pas, moi.
L'hôtelier
Sa tante l'a déshérité.
L'hôtelière
C'est déjà fait ?
L'hôtelier
Oui, hélas !

Lui
Eh bien, tant mieux ! Il fallait en finir avec cette vieille folle, qu'elle meure ou qu'elle nous déshérite.

L'hôtelier
Nous aurions préféré la première solution.

Lui
L'autre est plus honnête.

L'hôtelier
On est pauvre mais on est vertueux !

Lui
Le principal est qu'on ait sa femme pour soi seul.

Elle
(de l'escalier) Chéri, le lit est prêt.

Lui
Tu en es sûre ? Ce ne serait pas un mirage ?

Elle
Je l'ai essayé et je n'ai pu dormir.

Lui
Que tu es belle ! Ton insomnie m'attire.

Elle
Monte, car tu m'attires aussi et je pourrais descendre.

L'hôtelier
Vous serez mieux là-haut.

Lui
Je le crois. Bonne nuit. *(Ils sortent.)*

L'hôtelier
Bonne nuit.

L'hôtelière
Dis-moi, mon mari : comment la vieille a-t-elle appris qu'ils avaient refusé de coucher par terre ?

L'hôtelier
Elle n'en sait rien.

L'hôtelière
Alors elle ne les a pas déshérités.

L'hôtelier
Je l'ai fait moi-même; ils s'aimeront mieux. Je leur rendrai leurs biens quand ils seront rhabillés.

L'hôtelière
Penses-tu vraiment à leur vendre l'hôtel ?

L'hôtelier
Il parait qu'ils auront beaucoup d'enfants.

L'hôtelière
Tu souhaites la mort de la vieille ?

L'hôtelier

Si elle a des héritiers, c'est qu'elle compte mourir un jour. A son âge l'automne est avancé; tu souffles en l'air et la pomme tombe.

L'hôtelière

Souffle en bas, mon mari.

L'hôtelier

Je ne souhaite pas sa mort, je l'aide à vivre; je suis entré dans son jeu; j'ai tenu à ce que ses neveux fassent ce qu'elle attendait d'eux. *(Sonnerie du téléphone.)*

L'hôtelière

Souffle en bas, mon mari.

L'hôtelier

Je l'aide à vivre, ma femme.

L'hôtelier

(au téléphone) Allo . . . Pardon . . . Je ne vous avais pas reconnue: votre voix n'est plus la même . . . Votre coeur . . . En effet, c'est une rude nuit, non seulement pour vous, pour nous aussi : tous nos clients ont quitté l'hôtel à l'exception de votre nièce et de son mari . . . Ils seront plus tranquilles ? Je ne crois pas : ils hurlent comme des loups dans la jungle sibérienne; ils s'entredévorent et renaissent pour se dévorer encore.

L'hôtelière

Mon mari, tu souffles trop fort.

L'hôtelier

(au téléphone) S'ils sont descendus ? Non, je crois qu'ils mourront avant. *(Il pince sa femme qui crie.)*

L'hôtelier

Ce n'est pas moi qui souffle.

L'hôtelier

(au téléphone) Avez-vous entendu ? Ils sont terribles. L'amour avec eux devient chose effrayante, l'explosion d'une bombe perdue, le déchirement métallique d'une virginité séculaire.

L'hôtelière

Mon mari, tu exagères !

L'hôtelier

(au téléphone) Ma pauvre femme ici présente tremble de tous ses membres. Son frisson est sur le point de me gagner; j'avoue qu'ils me font peur. Ah ! mademoiselle, n'en doutez pas : leurs enfants auront du poil . . . Votre coeur ? . . . Allo, allo, êtes-vous encore là, mademoiselle ? . . . Allo ! Allo !

L'hôtelier

La ligne est restée ouverte, et pourtant la vieille ne parle plus.

L'hôtelière
(prenant l'appareil) J'entends des bruits de pas. Quelqu'un a dit : Mon Dieu !

L'hôtelier
Et que répond le bon Dieu ?

L'hôtelière
(raccrochant) Il a répondu qu'elle était morte. Tu l'as trop bien aidée à vivre !

L'hôtelier
J'ai fait de mon mieux; sa pomme était mûre.

L'hôtelière
Tu as fait de ton mieux pour secouer le pommier.

L'hôtelier
Elle avait quatre-vingts ans.

L'hôtelière
Soixante-quinze.

L'hôtelier
Elle était quand même trop vieille; encore si elle s'était contentée d'un voyage ordinaire, mais non : il lui fallait des cris, des hurlements, les loups de la jungle sibérienne.

L'hôtelière
Il lui fallait tout ça !

L'hôtelier
Pas exactement; j'ai peut-être renchéri, ne voulant pas la décevoir, mais elle demandait beaucoup; pense au plancher; elle voulait que la passion de ses neveux fût si vive... Enfin, c'était trop pour son âge. Elle a fait quand même une belle mort.

L'hôtelière
Grâce à toi.

L'hôtelier
Par accident.

L'hôtelière
Tu voulais l'aider à vivre; elle en est morte.

L'hôtelier
Elle est morte toute flamme, consumée par l'ardeur de la vie; cela vaut mieux que se survivre, plus froide que la mort.

L'hôtelière
Cela est plus simple et plus opportun.

L'hôtelier
Elle est entrée dans l'éternité un flambeau à la main.

L'hôtelière
De l'autre elle a laissé tomber un héritage convoité.

L'hôtelier
Autrement elle se fût perdu vivante dans la nuit des enfers.

L'hôtelière
Es-tu sérieux, mon mari ?
L'hôtelier
Enfin, ma femme, je préfère qu'elle soit morte d'amour que de la fièvre jaune ! Tu ne voudrais tout de même pas que je pleure : je ne l'ai jamais vue. Est-ce ma faute si elle laisse un héritage ?
L'hôtelière
Il tombe à point.
L'hôtelier
Heureusement, car la pomme mûre, qui reste dans l'arbre, y pourrit. Pense aux pauvres orphelins là-haut : n'auront-ils pas besoin de cet héritage pour se consoler un peu du deuil qui les frappe ?
L'hôtelière
Tu parles comme un faux prêtre.
L'hôtelier
Et je suis sans doute le gagnestère qui a tué la vieille.
L'hôtelière
Il est temps, mon mari, que tu vendes l'hôtel : tu es en train de mal tourner.
L'hôtelier
Il est temps, ma femme, que tu changes de ton, car, si tu continues, j'aurai mauvaise conscience à le vendre. *(Sonnerie du téléphone.)*
L'hôtelière
Réponds : elle est ressucitée.
L'hôtelier
Crois-tu ?
L'hôtelière
Tu as toujours fait les choses à moitié.
L'hôtelier
(au téléphone) Allo . . . Oui, nous avons un couple de ce nom sur notre liste . . . Qu'ils se rendent immédiatement chez leur tante ? Vous n'y pensez pas ! Ils viennent de se mettre au lit et c'est la première fois, dois-je vous dire, qu'ils couchent ensemble.
L'hôtelière
Ce n'était qu'une crise ! Elle n'en finira plus de mourir.
L'hôtelier
Eh, ma femme, ce n'est pas le ton que tu changes, c'est toute la chanson !
L'hôtelière
Du travail gâché !
L'hôtelier
Voudrais-tu que j'aille la finir au couteau ?

L'hôtelière
Réponds, cela vaudra mieux.
L'hôtelier
(au téléphone) Excusez-moi, je n'ai pas très bien saisi... Je viens de dire qu'ils sont au lit... Leur tante est morte? Les pauvres enfants... Ses seuls héritiers?... Ah, les pauvres enfants... C'est bien, nous les avertirons... Immédiatement.
L'hôtelier
Du travail gâché, ma femme?
L'hôtelière
Pauvre vieille!
L'hôtelier
Ravale ton mouchoir, je t'en prie.
L'hôtelière
Après tout, elle a peut-être fait une belle mort.
L'hôtelier
Une mort inespérée. Va réveiller les assassins.
L'hôtelière
Ah, ce sont eux...
L'hôtelier
Mais oui, ce sont eux.
L'hôtelière
Tu as peut-être raison... Ah, mon Dieu!
Lui
Nous avons décidé d'aller coucher ailleurs.
L'hôtelier
On dort toujours mal sur les lieux de son crime, mais je doute que vous soyiez mieux ailleurs: votre tante est morte.
Elle
De quoi est-elle morte?
Lui
De nous avoir déshérités, tu sais bien.
L'hôtelier
D'amour.
Elle
C'est bête parce que nous n'avons encore rien fait.
L'hôtelier
Elle aura été plus vive que vous.
Elle
Je savais bien qu'elle en mourrait; c'est la raison pour laquelle, chéri, je me suis refusée.
Lui
A moins qu'elle ne soit morte alors de dépit.

L'hôtelier
Que ce soit avant, après, de dépit ou du fait, elle est bien morte.
Elle
Je regrette ma lâcheté, mais toi, mon mari, quelle sorte d'homme as-tu été ? Marches-tu au oui et au non comme les petits garçons ? Je ne suis pas ta mère ! Pourquoi n'as-tu pas pris ton bien ? Je ne pouvais pas te le refuser.
L'hôtelier
Consolez-vous : elle n'est pas morte de dépit, mais d'une erreur de synchronisme, n'ayant pas prévu ce refus bizarre ni la complaisance de votre mari.
Elle
Cela me gênera quand même de paraitre devant elle; j'aurai l'impression d'un cadavre inutile.
L'hôtelier
C'est une impression qu'on partagera d'ailleurs puisqu'un jour on l'enterrera.
Elle
Si elle était morte au bon moment !
L'hôtelier
Elle a fait de son mieux, la pauvre vieille !
Elle
J'aurais conçu d'une fille que j'aurais nommé Elise.
L'hôtelier
A défaut de ce plaisir elle vous laisse un héritage.
Lui
Je croyais . . .
L'hôtelier
Vous avez mal compris.
L'hôtelière
Ne vous désolez pas : vous avez toute une vie pour la venger et concevoir de filles et de garçons que vous nommerez Elyse, Elie et Elisée.
L'hôtelier
Je vous offre mon hôtel : vous ne manquerez plus de lits. Quand vous aurez suffisamment d'enfants, vous refuserez les clients.
Lui
Console-toi, chérie.
L'hôtelière
Nous deviendrons vos parents de la campagne chez qui vous trouverez toujours un peu de paille pour coucher.
Elle
Il ne faudra plus que tu m'obéisses à la lettre, mon mari.

Lui
Je t'aimerai comme un sourd, chérie.
Elle
Je pourrai te dire tout ce que je pense.
Lui
Ce sera merveilleux.
Elle
Je t'aimerai aveuglément.
Lui
Tu pourras toujours me voir près de toi.
Elle
Le sacrifice de ma pauvre tante n'aura pas été vain.
L'hôtelière
L'amour est la raison des morts.
L'hôtelier
Vous lui devez beaucoup.
Elle
Elle était extraordinaire !
L'hôtelier
Il serait bon que vous alliez faire une petite prière sur son corps.
Lui
C'est la journée des cérémonies.
L'hôtelier
Après vous serez libres.
Lui
Nous serons revenus dans une heure.
Elle
Et peut-être avant : les enfants nous attendent ici.
L'hôtelier
Et la vie.
Elle
Et la revanche de tante Elise. *(Ils sortent.)*
L'hôtelier
Eh bien, ma femme ?
L'hôtelière
Je ne trouve rien à redire, mon mari.
L'hôtelier
Puisse tout le monde être de ton avis.

RIDEAU

Le Don Juan chrétien

Le Don Juan chrétien

Comédie en deux actes, précédé chacun d'une parade par-devant le rideau.

Personnages :

Le Sénateur

Madame Salvarson

Martine

Jérôme

Le curé

Don Juan

PARADE

Don Juan, en héros pourchassé, traverse l'avant-scène dans un sens, puis dans l'autre. Le sénateur entre lentement. Don Juan reparaît, le dépasse, retraverse une dernière fois. Le sénateur ne poursuit personne; il se promène à cheval tout simplement. Il n'a pas vu Don Juan. Par contre, en homme qui a fait longtemps sa cour au peuple, l'assistance ne lui a pas échappé; il la salue tout au long du parcours. Il est sur le point de sortir quand le curé survient, à bout de souffle.

Le curé

Sénateur ! Sénateur !

Le sénateur

(se retournant) — Tiens ! un curé dans les champs : comme c'est curieux !

Le curé

Arrêtez, Sénateur ! Arrêtez au nom de Dieu !

Le sénateur

Au nom de Dieu : il ne badine pas ! C'est encore plus curieux : un curé sérieux dans les champs. Aurais-je commis une infraction aux lois champêtres ?

Le curé

Attendez-moi !

Le sénateur

Je vous attends, mon révérend . . . Mais qu'est-ce qu'il a donc à ne pas avancer ?

Le curé

(qui n'a pas repris son souffle) — Je viens.

Le sénateur

Serais-je sorti de terre sans m'en rendre compte ? Ce curé est sans doute douanier. Je n'aurais pas vu la frontière.

Le curé

(parvenant à faire quelques pas) — L'avez-vous vu ?

Le sénateur

Non, je m'excuse : j'étais sans doute distrait. Le passage d'ailleurs se fait si doucement que je n'en ressens pas encore la différence.

Le curé

(rejoignant enfin le sénateur) — Quelle différence ?

Le sénateur
La différence entre le ciel et la terre.

Le curé
Monsieur le Sénateur...

Le sénateur
Que vous êtes essoufflé ! Que je vous ai fait courir ! Pourquoi, diantre, ne m'avez-vous pas arrêté à la frontière ?

Le curé
Quelle frontière ? Vous ne m'avez pas fait courir.

Le sénateur
Mon Révérend, voyons !

Le curé
Enfin, ce n'était pas après vous que je courais, Monsieur le Sénateur... Comment avez-vous pu penser ?

Le sénateur
Je me voyais déjà en route vers le ciel, sans être passé par vous, avec un cheval pour passeport. J'étais seul dans le paysage : après qui vouliez-vous que je pense que vous couriez ?

Le curé
C'était après Don Juan, et c'est encore après : où peut-il être passé, Seigneur ?

Le sénateur
Don Juan ?

Le curé
Il y a fête au village, ce soir. Les gens ont déjà commencé d'affluer. Un spectacle que j'annonçais depuis un mois. La salle paroissiale se remplira. Mais pas de Don Juan, pas de représentation et pas de recette. Il s'est échappé. Ne l'avez-vous pas vu ? Il fuyait justement dans votre direction.

Le sénateur
Débridé ?

Le curé
On m'avait pourtant prévenu, car ce n'est pas la première fois que, sans crier gare, au dernier moment, il prend la poudre d'escampette : une manie qui lui est particulière.

Le sénateur
Un vice.

Le curé
Un vice, si vous voulez. En tout cas me voici dans un fameux pétrin : je n'ai plus qu'une heure pour le retrouver. Une heure ! et savez-vous qu'à Roberval il fut déjà deux jours disparu ?

Le sénateur

Pour un cheval, même débridé, c'est beaucoup... Quoi! il ne s'agit pas d'un cheval? J'aurais cru...

Le curé

Mais non!

Le sénateur

D'ailleurs si ç'avait été un cheval, je l'aurais vu. Or je n'ai rien vu : ce n'est donc pas un cheval. Vous avez raison, mon Révérend... Quel beau nom, pourtant!

Le curé

La comédie que nous donnons ce soir s'intitule Don Juan.

Le sénateur

Ah! je comprends... Non, je ne comprends pas.

Le curé

Don Juan, c'est le héros de la pièce! un grand escogriffe qui ne peut voir femme sans prendre feu.

Le sénateur

Eh, mon révérend, vous ne vous gênez pas!

Le curé

Le théâtre n'est pas la réalité.

Le sénateur

C'est une belle façon quand même d'introduire un étalon dans votre salle.

Le curé

Sénateur, il faut être moderne! D'ailleurs vous pensez bien que le Don Juan se brûle à son jeu et que Dieu l'achève en le foudroyant. Une pièce très-morale et qui se joue dans les paroisses depuis des siècles. Moderne, mais de bonne tradition.

Le sénateur

Dites donc : il avait bien quelques motifs, votre personnage, à déguerpir! Mais vous le retrouverez.

Le curé

Croyez-vous, Sénateur?

Le sénateur

J'en suis sûr.

Le curé

N'oubliez pas qu'il me le faut avant une heure.

Le sénateur

Vous l'aurez, mon Révérend, mais pour l'amour de Dieu cessez de courir dans les champs comme je n'avais jamais vu faire auparavant à un curé, au point que je m'étais cru sur le chemin du ciel et vous avais pris pour le garde-frontière lancé à la poursuite d'un voyageur, voire d'un contrebandier ! Allez le chercher tout bonnement où vous savez.

Le curé

Là où je sais ?

Le sénateur

Le seul endroit de la paroisse où il ne risque pas d'être foudroyé.

Le curé

Chez la veuve Scott ?

Le sénateur

Il ne peut être ailleurs. A moins que vous ne soyez mieux renseigné que moi et que . . .

Le curé

Non, vous avez raison : il ne peut être ailleurs. J'y vais sans plus tarder. Merci, mille fois merci, Monsieur le Sénateur.

Le sénateur

Bonne chance, mon Révérend.

(Le curé, qui a repris son souffle, sort en courant)

Le sénateur

(à son cheval) — Arthur, qu'en dis-tu ? Il est curieux, ce curé, n'est-ce pas ? Moi, je pense à la surprise de la veuve Scott. C'est un visiteur auquel elle ne doit pas s'attendre . . . Allons, mon ami, retournons à la maison . . . Arthur, où vas-tu ? Arrête, animal ! A la maison, j'ai dit.

(Le sénateur se voit obligé à quelque rigueur. Enfin il réussit à tourner son cheval de tête en queue.)

Le sénateur

Arthur, excuse-moi. Quelle mouche t'a piqué, mon ami ? Allons, va, et ne recommence plus.

(Le sénateur salue l'assistance et il sortirait comme il est entré, mais voici que le cheval se met à ruer et à tenter de le désarçonner.)

Le sénateur

Arthur, mon ami ! Voyons, Arthur !

(C'est ainsi que le cavalier et sa bête sortent, mettant un terme à cette première parade. Le rideau s'ouvre.)

ACTE PREMIER

Une antichambre chez le sénateur.

SCÈNE PREMIÈRE

Martine est à cirer le parquet. Jérôme entre, un plateau à la main, se glisse le long d'elle et, baiser donné, se relève, le plateau toujours à la main.

Jérôme
Quelle glissade ! J'aurais pu m'y rompre : j'attrape un baiser. O chance, tu me souris !

Martine
Allez vous faire risette ailleurs.

Jérôme
Quoi !

Martine
Allez, ouste !

Jérôme
C'était une embûche.

Martine
Oui, c'en était une; j'avais ciré mon parquet exprès. Vous avez glissé, vous y êtes tombé. A présent que je l'ai eu, mon baiser, vous pouvez disparaître.

Jérôme
Mais je l'ai eu aussi !

Martine
Raison de plus pour déguerpir : j'aurais pu tout aussi bien vous mordre.

Jérôme
Vous n'avez pas de coeur !

Martine
Non, Monsieur, et je n'ai même pas d'entrailles.

Jérôme
Vous pourriez au moins être polie.

Martine
Ma politesse, c'est de vous dire : ouste !

Jérôme
Et le sentiment que j'ai pour vous ?

Martine
S'il vous amuse, emportez-le.

Jérôme
Eh bien ! moi de même, je lui dis : ouste !

Martine
A qui donc ?

Jérôme
A mon sentiment. Ouste, il est parti comme il est mort, le grand amour dont je brûlais pour vous. Mais moi, je reste; moi, je vis.

Martine
Rien ne vous empêche d'aller vivre un peu plus loin.

Jérôme
Je ne crains pas l'exil; seulement j'ai deux mots à vous dire.

Martine
C'est trop et pas assez : je me bouche les oreilles.

Jérôme
Un seul mot alors.

Martine
Hélas ! je ne peux l'entendre. Soyez humain, Monsieur, et voyez mon tracas : je ne suis pas à vos pieds par plaisir, mais pour frotter et frotter vite. Je n'ai plus un instant à perdre : Madame a la lubie. Il faut que son plancher luise, sinon gare à ses cris !

Jérôme
Madame est à son naturel. Or, j'ai à vous apprendre une nouvelle extraordinaire : Monsieur est fou.

Martine
Vous appelez ça une nouvelle ! Non, je vous en prie, laissez-moi frotter.

Jérôme
Je vous l'accorde : Monsieur est fou depuis longtemps. Jusqu'à ce soir on pouvait même dire qu'il était fou comme tout le monde : il agissait encore congrument. Vous lui disiez : « Bonjour, monsieur le sénateur. » Il répondait : « Bonjour. » Vous lui disiez : « Il pleut, Monsieur, » il répondait : « Oui, en effet. » Tout cela était normal. Mais il a changé.

Martine
A présent, c'est bonjour, bonsoir, et quand vous lui annoncez la pluie, il constate qu'en effet le ciel est bleu, les oiseaux chantent, le soleil rit !

Jérôme
Si ce n'était que cela !

Martine
Trouvez-vous ?

Jérôme
A peine serait-il distrait : le ciel est si versatile ! le jour passe si vite au soir ! Dies sicut umbra.

Martine
Vous m'en direz tant !

Jérôme
Pauvre Monsieur ! Lui si doux, si bon !

Martine
Serait-il devenu méchant ?

Jérôme
Hélas ! son humeur reste la même.

Martine
Eh bien, quoi ? Si son humeur n'a pas changé, s'il rend le bonjour qu'on lui souhaite et voit la pluie qu'on lui montre, comment pouvez-vous prétendre que, de fou congru comme tout le monde, il soit devenu fou-fou comme les fous ?

Jérôme
Il a décidé de présenter son cheval à Madame.

Martine
Vous êtes fou !

Jérôme
Non, c'est lui.

Martine
Ho !

(Entrée, sur les entrefaites, de Madame Salvarson.)

SCÈNE DEUXIÈME

Madame
Encore ! Encore ! Il n'a donc rien que ça dans le corps ! Il n'arrête pas de vous faire la cour.

Martine
Je ne sais, madame.

Madame
Elle ne sait, voyez-moi ça ! Quand on ne sait pas, tout est neuf. Et on la fait durer, la nouveauté. Fausse ignorance ! Oblique candeur ! Vous m'agacez à la fin ! Ce n'est pas une raison, parce que vous avez vingt ans, de me rappeler que je ne les ai plus.

J'arrive, qu'est-ce que j'entends ? Des chuchotements, les bruits d'une agitation confuse que je ne connais que trop bien. Faites-vous exprès pour me provoquer ? Si je n'ai plus vingt ans, je les ai déjà eus, peut-être moins que vous, mais je les ai eus quand même, assez pour deviner le sous-entendu de vos exclamations. Et puis, après ? Quelle intelligence y a-t-il à être jeune ? Absolument aucune. Alors, je vous en prie, épargnez-moi votre bêtise, et cherchez à vous parler autrement que par des interjections. Vous n'êtes pas des oiseaux ! Quand je suis arrivée, Martine, que disiez-vous ?

Martine

Je ne me souviens pas, Madame.

Madame

Vous ne disiez rien; vous faisiez : ho ! Et qu'est-ce que ce ho-là signifiait ?

Martine

Une surprise, peut-être.

Madame

Il signifiait que ce garçon venait de vous chuchoter quelque bonne et plaisante grivoiserie. Quand on est surprise, on fait : ah ! Vous, mon garçon, je vous tiens !

Jérôme

Merci, Madame : vous êtes trop bonne. Oui, oui, je vous assure. Me tenir, je ne vous en demandais pas tant.

Madame

Vraiment !

Jérôme

Ce n'était même pas nécessaire, puisque je vous étais déjà attaché.

Madame

Voyez-le : il fait la cour à toutes les femmes. Quel homme !

Martine

Oui, madame.

Madame

Qu'en savez-vous ?

Martine

Moi, Madame ? Oh ! je n'en sais rien.

Madame

Alors taisez-vous ! Quant à vous, mon garçon, je vous garde à l'oeil. Cela ne vous nuira pas.

Jérôme

Non, bien sûr. Vous serez ma conscience, pour ne pas dire mon bon ange.

Madame
Vous n'êtes peut-être pas aussi méchant que vous le paraissez. Laissez voir. Tournez. Montrez-moi le dos. Tournez encore. Marchez un peu. Revenez. Bon, c'est assez. Oui, vous avez des qualités. Mais pourquoi êtes-vous grivois ? Vous troublez cette pauvre fille.

Jérôme
Elle me trouble de même.

Madame
Ah, ciel ! Elle vous trouble, vous la troublez, vous vous troublez : je sens que je vais me troubler à mon tour. Sénateur, à moi ! . . . Où est-il passé, celui-là ?

Jérôme
Monsieur le Sénateur, au retour de sa promenade équestre, ayant mis une redingote, est sorti le chapeau à la main.

Madame
Que me dites-vous là ? Une redingote ! Un chapeau !

Jérôme
Oui, Madame.

Madame
Oh ! Oh ! Oh !

(Sur ce oh ! répété trois fois, la voilà prise de fou rire.)

Jérôme
Je ne comprends pas. Monsieur le Sénateur, ainsi vêtu, avait grande allure.

Madame
N'insistez pas, mon ami : je vous crois.

Jérôme
Une allure de sénateur.

Madame
(non encore remise de son rire) — Jusqu'où descendait-elle, cette redingote ?

Jérôme
Madame s'abuse : avec la redingote et le chapeau melon, Monsieur portait un pantalon gris et des guêtres blanches sur ses souliers vernis.

Madame
Le beau portrait que vous venez de me gâcher ! Je serai donc toujours déçue ! Ah ! je suis la plus malheureuse des femmes.

Jérôme
Hélas !

Madame
De quoi vous mêlez-vous, mon garçon ?

Jérôme
De rien, de rien, Madame.
Madame
Vous avez dit : hélas !
Jérôme
Par inadvertance, sans aucun à-propos, parce que le temps est sombre, la vie est morne, le monde est sage.
Madame
Vous voulez m'apitoyer.
Jérôme
Le monde n'est-il pas sage ?
Madame
Oui, hélas !
Jérôme
La vie morne et monotone ?
Madame
Le Sénateur n'oublie jamais de mettre ses pantalons.
Jérôme
Il n'y a sur terre que les planchers de Martine qui luisent. Tout le reste est terne. J'ai dit hélas parce qu'on les foule du pied.
Madame
C'est vrai qu'ils sont beaux.
Martine
Merci, Madame.
Madame
Relevez-vous, ma fille, relevez-vous car nous nous sommes trompés : ce ne sont pas les planchers, ce sont les plafonds qu'il faudrait cirer.
Jérôme
Hélas ! ils sont inaccessibles.
Madame
Je ne vois pas d'étoiles : le ciel est couvert. Ah, que je n'aime pas cette maison ! Que ne suis-je Néron ! Le bel incendie que nous aurions !
Jérôme
C'est Monsieur le Sénateur, en revenant, qui en ferait une tête !
Madame
Une tête que je verrai. Allez, Martine, allumez-moi une chandelle.
Martine
C'est que . . .
Madame
C'est que quoi ?
Martine
Les chandelles, elles ont été bénites.

Madame
Raison de plus pour les utiliser !
Jérôme
Madame, c'est vous qui flamberez.
Madame
Si cela me plaît, moi, de flamber ! Martine, Martine, allumez la chandelle ! Ensuite vous mettrez le feu à la maison.
Jérôme
Auparavant ne serait-il pas préférable, Madame, qu'elle prépare votre bain ?
Madame
Quelle excellente idée ! Ce que vous en avez, jeune homme, ce que vous en avez des idées dans la tête !
Martine
Dans la tête, et ailleurs, Madame.
Madame
Taisez-vous, ma fille ! Ces idées-là, il ne faut jamais en parler; elles se divulguent autrement.

(Ce disant, elle bouscule quelque peu Jérôme.)

Jérôme
En effet, Madame, en effet... Mais lâchez-moi donc : j'ai une autre idée ! *(Saisissant les mains de Madame)* Il faut remettre l'incendie à demain, oui, à cause de la visite. Vous ne saviez pas ? Le Sénateur doit nous amener son meilleur ami.
Madame
Le Sénateur a un ami ? Ah, que je suis contente ! Oui, gardons la maison encore un peu. On dit beaucoup de bien d'un tel ami. J'ai hâte d'en juger... Martine, remettez-vous au plancher; il n'est pas assez clair.
Martine
Et les chandelles, Madame ?
Madame
Elles sont bénites, n'y touchez pas. Le plancher, lui, ne l'est pas; alors il faut le cirer... Où est-il ?
Jérôme
L'ami ?
Madame
Non, le Sénateur.
Jérôme
A l'écurie.
Madame
A l'écurie ! A l'écurie en redingote !

Jérôme
Oui, Madame, avec chapeau melon, pantalon gris, souliers vernis et guêtres blanches.

Madame
C'est un costume assez inattendu.

Jérôme
Le cheval s'attend à tout, Madame.

Madame
Drôle de cheval.

Jérôme
Oui, en effet.

Madame
Vous moqueriez-vous de moi, par hasard ?

Jérôme
Moi, Madame, oser . . .

Madame
Taisez-vous, impertinent !

Jérôme
Oser . . .

Madame
Taisez-vous ! Ah, le misérable ! A propos, Martine, que vous avait-il chuchoté ?

Martine
Avant que vous n'arriviez ?

Madame
Oui, vous étiez toute scandalisée.

Martine
Il venait de parler . . . Je n'ose.

Madame
Osez.

Martine
De son astragale.

Jérôme
Elle ment.

Madame
Taisez-vous ! Son astragale ! A-t-on idée ? Ah, sainte mère de Dieu, Vierge des vierges ! Son astragale ! Ah, Jésus ! Vous avez osé, impudent, misérable ! Allez, filez, disparaissez ! Vous ne voyez donc pas que vous me rendez malade ! Disparaissez, vous dis-je !

(Jérôme sort)

SCÈNE TROISIÈME

Madame
Son astragale ! Dans ma maison ! Quelle honte ! Savez-vous au moins ce que c'est, un astragale, ma pauvre enfant ? Oui, vous le savez. Moi, je l'imagine, et rien qu'à l'imaginer je frémis, je me sens mal... Non, je me sens bien... Oui, je me sens mal... C'est ça, je ne me sens plus ! Un astragale, Seigneur, un astragale !

Martine
Quelle sensibilité que la vôtre, Madame !

Madame
Enorme ! Si vous saviez toutes les sensations qu'elle me donne ! Des sensations énormes... Mais dites-moi, Martine : un astragale, qu'est-ce au juste ?

Martine
Un os du talon.

Madame
Ce n'est pas celui que je pensais. Tout le monde se trompe, c'est certain; j'ai quand même été injuste pour ce garçon... Un os dans le talon; pauvre diable, ça doit le gêner ! Boite-t-il ?

Martine
Pas que je sache.

Madame
Alors je n'ai pas tellement été injuste, d'autant plus que le talon, c'est bien bas... Relevez-vous, Martine.

Martine
Merci, Madame.

Madame
Ce garçon n'a pourtant pas l'air d'un niais. Quel intérêt avait-il à vous parler de son astragale ? Peut-être est-ce là son vice ? Ah, les hommes ! Ils sont si pervers ! Ils vous abordent avec un astragale et Dieu sait avec quoi ils finissent ! Encore s'ils finissaient ! Mais ils ne finissent pas. Ils sont sénateurs, la belle affaire ! comme si le Sénat pouvait vous arrondir la cuisse ! Ah ! Martine, je ne suis guère heureuse. Plaignez-moi : mon mari est trop sage.

Martine
Les nouvelles que j'en ai eues sont de toute autre nature. Consolez-vous, Madame : il paraîtrait que, lui aussi, il est en train de devenir fou.

Madame
Fou, qui ne l'est pas ?
Martine
Fou pour faire des folies. On prétend qu'elles lui feront grand bien.
Madame
Et à moi donc ! Martine ! Martine ! Je vous aime beaucoup.
Martine
(se dégageant de l'étreinte) C'est réciproque, madame, je vous assure.
Madame
(lui caressant les cheveux) Dommage !
Martine
Quel dommage ?
Madame
Je ne sais pas, je ne sais plus. Ne m'écoutez pas. Ah, Martine ! quelle émotion !

(Et Madame Salvarson de sortir en courant.)

SCÈNE QUATRIÈME

Martine s'est remise à son plancher. Entre une sorte de ténor italien qui se précipite sur elle et qu'elle prend pour Jérôme.

Martine
(vite sur pieds) Qui êtes-vous ? Je ne vous connais pas !
Don Juan
(encore allongé) Délicieux, délicieux baiser ! Votre petite langue . . .
Martine
Debout, Monsieur !
Don Juan
De vos lèvres elle glisse entre les miennes... Non ! Non ! ne frappez plus : je me lève.
Martine
Vous n'êtes pas gêné, vous ! Que faites-vous ici ? Qu'est-ce qui vous a pris de m'embrasser ?
Don Juan
(debout et hors d'atteinte) Pardon, Mademoiselle : le baiser, c'est vous qui le plaçates sur mes lèvres. Je m'y attendais guère et je vous l'ai rendu : de quoi vous plaignez-vous ?

Martine
De vous avoir pris pour mon amant.

Don Juan
Vous vouliez sans doute honorer celui-ci.

Martine
Je pense plutôt que la méprise vous a profité. Sans elle vous savez . . .

Don Juan
Une fois me suffit.

Martine
Que me voulez-vous, Monsieur ?

Don Juan
Rien d'autre, Martine.

Martine
Quoi ! Vous me connaissez ?

Don Juan
Vous étiez sur ma liste. J'ai une liste des femmes qui me doivent des faveurs.

Martine
Je vous devais des faveurs !

Don Juan
Le baiser m'a suffi; je biffe votre nom; vous ne me devez plus rien. Voulez-vous une quittance ?

Martine
Savez-vous, Monsieur, que vous finirez par m'amuser ?

Don Juan
Vous m'en verrez honoré : je suis au service de toutes les dames et demoiselles de la terre.

Martine
Chevaleresque avec ça !

Don Juan
C'est la moindre des choses, Mademoiselle . . . Au fait, comment se porte Madame Salvarson, l'épouse de notre cher Sénateur ?

Martine
Elle aussi ?

Don Juan
Oui, en effet, elle est sur ma liste.

Martine
Merci de m'avoir passé la première.

Don Juan
A la jeunesse, la préséance : elle se contente de pas grand'chose . . . Mais vous ne m'avez pas répondu.

Martine
Madame Salvarson se porte assez bien, je pense. Elle se portera mieux cependant lorsqu'elle vous aura sous la dent. Dois-je la prévenir ?

Don Juan
Faites, je vous en prie.

Martine
Qui aurai-je l'honneur d'annoncer ?

Don Juan
Quoi ! vous ne savez pas . . .

Martine
Excusez-moi, j'ai oublié ma liste.

Don Juan
Annoncez Don Juan.

(Martine de sortir après avoir ri au nez de l'illustre séducteur)

SCÈNE CINQUIÈME

Don Juan
(sortant son miroir) Ma séduction n'a guère opéré sur cette petite. Son ignorance en est la cause; elle ne connaît pas ma réputation. *(Il revise sa toilette, roule soigneusement sa moustache.)* Il n'y a pas de grands noms sans petits artifices, surtout quand l'âge commence à vous priver de vos meilleurs moyens; on continue dans la dentelle, on mignonne sa renommée. *(Sa toilette faite, il sort sa liste.)* Voyons voir qui nous attend : prénom Hortence, quarante-quatre ans, quelque embonpoint, du teint et de la santé. Méné ! Méné ! Méné ! le morceau ne sera pas facile. Je me demande si je n'aurais pas mieux fait de rester avec Molière dans la salle paroissiale du curé. Au moins là j'aurais su à quoi m'attendre. Quel diable me pousse à quitter la scène et à fuir le théâtre où je n'ai que des lauriers à recueillir ? Est-ce l'esprit de mon personnage, le goût du risque, ma jeunesse passée ? A moins que par mes fugues je ne cherche à soutenir le comédien. « C'est un Don Juan naturel, dit-on. En tournée, il faut l'attacher, autrement on le perd. » Eh bien ! on m'a perdu encore une fois . . . Méné ! Méné ! Méné ! que cette Hortence-là me déplaît, avec sa boniche qui me rit au nez, son mari sénateur ! Sénateur, on sait ce que cela

veut dire : Monsieur plafonne, le mat et le drapeau pendants. Un garçon bouvier devenu porte-étendard, voilà l'idée qu'on se fait de moi, méné ! méné ! méné ! Quelle idée a-t-on eue aussi de me laisser fuir. Ah, ce curé ! Qu'il me tombe sous la main, je lui dirai son fait.

(Martine revient)

Martine
Monsieur le Don Juan, Madame Salvarson vous attend.
Don Juan
O saint Molière, ne m'abandonne pas !

(Don Juan sort)

SCÈNE SIXIÈME

Martine se remet encore une fois à son plancher. Jérôme, sans plateau, recommence sa fameuse glissade.

Jérôme
Vous avez les yeux comme des lunettes. Qu'avez-vous à me regarder ainsi ?
Martine
(le becquant) Il arrive que les lèvres qu'on me tend ne sont pas celles que j'attends. Cette fois, ce sont bien les vôtres.
Jérôme
En prîtes-vous d'autres ?
Martine
Je n'avais pas alors les yeux comme des lunettes.
Jérôme
Où ça ?
Martine
Sur les miennes.
Jérôme
Des lèvres sur les vôtres, qui ne sont pas les miennes, cela donne un baiser, juste ciel ! un baiser que je n'aime guère.
Martine
J'espère, mon ami, j'espère.
Jérôme
C'est la première nouvelle que j'en ai.

Martine
Il est encore tout frais . . . Ne prenez pas cet air ahuri; il ne vous fait pas bien. Ecoutez-moi plutôt; je vais vous expliquer. Je cirais mon plancher comme d'habitude, et frotte donc ! A la longue c'est assez monotone, mais vous veniez de me quitter; je cirais sans y penser, le coeur content. Quelqu'un se glisse à mes côtés. C'est vous, coquin, qui revenez. Coquine, je ferme les yeux pour prendre vos lèvres. Jamais baiser ne fut plus aveuglément formé. A bouche-que-veux-tu la cécité n'est pas un grand malheur; je ne suis pas pressée d'en guérir et le baiser se prolonge jusqu'à ce qu'il me chatouille la joue. Cela m'étonne : vous n'êtes pas un homme à moustaches.

Jérôme
Mais un homme peut changer.

Martine
Voilà ce que je me suis dit : Jérôme s'est décidé à mettre des moustaches. Pour une surprise, c'était une surprise !

Jérôme
Vous n'êtes qu'une sotte : la moustache ne pousse pas à un homme dans l'espace de dix minutes !

Martine
Je ne suis pas si sotte : à la réflexion . . .

Jérôme
Vous avez eu le temps de réfléchir !

Martine
Oui, par intermittence. En réunissant les morceaux, cela donnait une réflexion où je me disais à peu près ceci : « Jérôme, tout-à-l'heure, n'avait pas de moustaches. Maintenant il en a. Le pileux ne pousse pas si vite. » J'en ai conclu que les moustaches qui me chatouillaient la joue ne vous appartenaient pas. Mais vous auriez pu les emprunter, les voler, est-ce que je savais, moi ? Je ne connais rien aux moustaches; je ne suis pas un homme !

Jérôme
Avouez que ce baiser vous plaisait.

Martine
Je l'avoue, un baiser toujours me plaît, surtout celui-là, à cause du chatouillement, une nouveauté pour moi.

Jérôme
Il fut donc bien long !

Martine
Pour baiser longuement, mon cher, il faut se garder des ouvertures, d'abord la pensée, ensuite le nez. Par la pensée on pense,

par le nez on respire. Par la pensée on supplée au sentiment et l'on peut se dire par exemple : « aussi bien continuer que de se remettre à cirer le plancher ! » Oui, il a été long.

Jérôme

Jurez-moi que vous étiez sûre qu'il était de moi.

Martine

En mon âme et conscience, je le jure.

Jérôme

Ce qui fit qu'il se prolongea encore.

Martine

J'aurais voulu m'y habituer, mais à cause de la moustache je n'y parvenais pas. Sans doute durerait-il encore si je n'avais pas eu le nez bouché. Et vous avez osé prétendre que je suis sotte ! Pourtant ce n'est pas dans la tête que je l'ai eue, mon obstruction, mais dans le nez. Je ne pouvais plus respirer. Aux délices du baiser s'ajoutait le danger d'asphyxie.

Jérôme

Vous étiez en train de mourir de plaisir.

Martine

Il eût été doux de mourir ainsi.

Jérôme

Pourquoi ne l'avez-vous pas fait ?

Martine

Je serais morte sans avoir vu vos moustaches. La curiosité m'a sauvée; je me suis dégagée.

Jérôme

Enfin !

Martine

Il était temps : j'étouffais. Ouf ! je respire . . . On dira ce qu'on voudra, la respiration a ses bons côtés. L'air aussi. Et je ne me suis pas privée : j'en ai pompé tout ce que j'ai pu. Puis j'ai ouvert les yeux pour apercevoir des moustaches qu'il me fut impossible d'identifier, derrière lesquelles, à ma grande surprise et pour mon désarroi, vous n'étiez pas, mon pauvre ami.

Jérôme

Puisque vous n'aviez pas la pensée obstruée, vous en avez conclu que vous veniez d'accorder vos faveurs à un inconnu.

Martine

Oui, sans même prendre le temps de me moucher, très vite, mais sans aucun mérite, car c'était évident.

Jérôme

Cet inconnu, vous l'avez giflé ?

Martine
Vous méconnaissez ma pudeur dont le premier mouvement, devant une telle méprise, fut de recul.

Jérôme
Vous vous êtes giflée ?

Martine
Non, je me suis levée.

Jérôme
C'est vrai, vous étiez couchée.

Martine
L'inconnu, lui, n'a pas bougé, complètement ravi. Je lui ai demandé son nom. Il n'a pas répondu; il balbutiait des choses sur mes lèvres, sur ma langue.

Jérôme
Vous ne l'avez pas empêché ?

Martine
J'avais le nez encore bouché; je ne pouvais tout de même pas lui donner un autre baiser pour qu'il se taise. Mais j'ai fini par trouver mon mouchoir.

Jérôme
Qu'avez-vous fait alors ?

Martine
Je lui ai donné un bon petit coup de pied dans le flanc : il en a perdu l'extase.

Jérôme
Mais avec votre mouchoir.

Martine
Je me suis mouché, vous pensez bien ! Je n'étais pas pour me mettre à pleurer; j'avais plutôt envie de rire. Il me disait, le type : « Je suis l'illustre Don Juan. » Illustre, peut-être, mais on voit qu'il a beaucoup servi : un restant d'homme qui tient par les moustaches. Jérôme, mon ami, vous n'êtes pas illustre, vous n'avez pas de moustaches, mais au moins vous avez la décence d'être jeune.

Jérôme
Que lui avez-vous dit ?

Martine
Je ne lui ai rien dit : il s'était mis à parler et je ne pouvais plus lui donner de coup de pied au flanc. Son boniment se résume à ceci : il m'a rendu mon baiser afin que nous soyons quittes, car j'étais sur sa liste.

Jérôme
Sa liste !

Martine
La liste des femmes qui lui doivent des faveurs.

Jérôme
Vous deviez des faveurs à Don Juan !

Martine
Oui, j'étais sur sa liste. Maintenant je suis quitte. Avouez que je m'en suis tirée à bon compte.

Jérôme
Je n'ai pas d'aveu à vous faire. Sachez seulement que votre comptabilité n'est pas la mienne.

Martine
Petit cachotier, vous faites vos calculs sans moi !

Jérôme
Il semblerait de même que vous puissiez vous passer de moi.

Martine
Jérôme, mon ami, on dirait presque que vous êtes fâché !

Jérôme
Non, je suis content !

Martine
C'est tout juste si vous ne grincez pas des dents . . . Puisque vous en avez envie, fâchez-vous donc pour de bon !

Jérôme
J'en aurais bien le droit après ce qui s'est passé.

Martine
Après ce qui s'est passé ? Mais il ne s'est rien passé. Tout bien considéré, c'est vous que j'embrassais.

Jérôme
A ce train je serai cocu sans l'être et devrai encore m'en glorifier.

Martine
Vous en glorifier ? Vous êtes déjà glorieux. Les coqs chantent parce qu'ils sont coqs tout simplement; la poule n'est qu'un appoint, sinon un accident pour eux. Cocu ou pas, vous chanterez. En voilà un ton pour me parler ! Vous finirez par me fâcher. Après ce qui s'est passé ? Savez-vous bien ce que vous dites ? A tout le moins il aurait pu s'en passer pire.

Jérôme
C'est vous qui ne savez pas ce que vous dites. Vous vous mettez la langue dans un vieux dentier et voudriez que j'y prenne plaisir ?

Martine
Un vieux dentier ? Comment le savez-vous ? Je ne vous ai rien dit. En bas, je ne sais trop; en haut vous avez deviné juste. Mais

de quoi vous plaignez-vous ? Les prothèses n'ont jamais avivé la nature. Calmez-vous, mon ami, calmez-vous. Si vous êtes sage, je vais vous en apprendre une autre.

Jérôme

(faisant demi-tour pour sortir) Une autre, non merci. J'en ai assez pour aujourd'hui : vous me l'apprendrez demain.

Martine

Jérôme, revenez : il ne s'agit plus de moi.

Jérôme

De qui alors ?

Martine

De la patronne.

Jérôme

Oh ! Oh !

Martine

Son nom était en meilleure place que le mien sur la liste de Don Juan. Une femme de sénateur, c'est un morceau de choix. Moi, je n'étais que de la broutille en passant.

Jérôme

Un morceau de choix ? Pour le boucher, peut-être . . . Racontez-moi quand même.

Martine

Demain, mon ami.

Jérôme

Pourquoi pas aujourd'hui ?

Martine

Dieu ! que vous êtes pressé ! Don Juan, lui, n'est pas encore reparti . . . Qu'avez-vous à rire ?

Jérôme

Je ne ris pas : voici le sénateur.

(Le sénateur entre en effet : redingote, chapeau à la main, pantalon gris, souliers vernis et guêtres blanches.)

SCÈNE SEPTIÈME

Le sénateur

Ah, cher Jérôme, que tu tombes bien ! J'ai à t'entretenir d'une chose surprenante : Arthur ne me reconnaît plus. On me l'a débauché. *(Apercevant Martine et la saluant)* Arthur est mon cheval. Et vous, ma chère enfant ?

Martine

Je n'ai pas cessé de me nommer Martine.

Le sénateur

Oui, en effet, je vous reconnais... Où avais-je la tête? *(Il met son chapeau)* Si jeune, si belle, si neuve que vous renaissez chaque fois. Oui, oui, vous avez raison de vous nommer Martine, mais eu égard au sérieux de l'entretien, je préférerais que vous alliez à la cuisine afin de voir si vous y êtes. Croyez-moi, vous y serez. *(Martine tire sa révérence. Le Sénateur, très intéressé, la regarde sortir.)* Une sortie réussie! Et quelle harmonie dans les proportions, quelle fierté dans la démarche, que de grâces! Depuis que je fréquente les chevaux, je suis sensible à la beauté des femmes.

Jérôme

Si le phénomène est réversible, je crois que je vais m'attacher à un cheval.

Le sénateur

Je te le déconseille. Certes, le cheval est un amant discret, mais on ne peut pas se fier à cette discrétion: elle vous cache son sentiment.

Jérôme

Ainsi donc ce que vous disiez d'Arthur... Ce cheval n'a donc pas de coeur! Peut-être lui avez-vous trop demandé? Arthur est un hongre; s'il était entier...

Le sénateur

Au contraire, l'hongre est plus près de l'homme que l'étalon... Tu en doutes, Jérôme? D'ailleurs il s'agissait d'amitié. D'amour il n'était pas question, la morphologie ne le permettant pas. D'Arthur j'attendais qu'il éprouve pour moi ce sentiment très-doux, cette affection infiniment triste que les créatures peuvent s'accorder en dépit des obstacles infranchissables qui les séparent.

Jérôme

La pitié que vous éprouviez pour Arthur parce qu'il est cheval, vous eussiez aimé qu'il vous la rende parce que vous êtes homme.

Le sénateur

Jérôme, je l'ai toujours dit: tu es imbattable dans la théorie! Oui, tel était mon affectueux programme.

Jérôme

Vous étiez généreux, car enfin, Monsieur, vous qui êtes du Sénat, c'est l'égalité que vous proposiez à un cheval. Il me semble qu'il eût trouvé avantage à l'accepter.

Le sénateur

Mais il m'a repoussé. Il ne me reconnaît même plus comme si toutes nos années de fréquentations quotidiennes n'étaient que fumée. C'est à n'y rien comprendre. Tout a commencé par un curé, la soutane extravagante, qui courait dans les champs après un coureur de jupon qui courait sans doute plus vite que lui, car il était essoufflé, le saint homme, essoufflé ! Je l'ai envoyé chez la veuve Scott. Eh bien ! il n'en avait pas assez : il est reparti en courant. Je n'y ai pas pris garde : il avait peut-être le mauvais oeil; c'est depuis que je l'ai rencontré que mes difficultés ont commencé. D'abord Arthur a tenté de me désarçonner, ensuite je l'ai peut-être rudoyé de sorte que je me sentais un peu coupable envers lui quand nous sommes rentrés à l'écurie.

Jérôme

Tout s'éclaire; je vois le jour ! Là-dessus, penaud, vous décidez de présenter Arthur à votre femme, ne serait-ce que pour lui montrer qu'il est le mieux aimé.

Le sénateur

Dans l'espoir aussi d'obtenir le pardon de ma brutalité.

Jérôme

Quand on est sénateur, tout doit se faire dans les formes. Vous vous êtes donc habillé selon le protocole de la présentation officielle. Mon jour ne va pas plus loin : que s'est-il donc passé dans l'écurie ?

Le sénateur

Je suis entré. Arthur s'est tourné vers moi. Je lui ai dit : « C'est moi, Arthur. » Il m'a regardé longuement. J'attendais sa réponse. Sa coutume est de hennir. Il ne m'a pas répondu. Je me sentis devenir à ses yeux un parfait étranger, le chapeau à la main. J'ai guetté en vain : mon chapeau est resté vide.

Jérôme

Il a feint sans doute de ne pas vous reconnaître et son ingratitude alors condamne à jamais la race chevaline.

Le sénateur

Je ne pus supporter davantage son regard sans expression. Je sortis de l'écurie. Un spectacle cocasse, discordant, à tout le moins inapproprié à ma douleur, m'attendait dans la basse-cour : l'amour d'un coq pour une poule. Aucune retenue ! Ah, pauvres volatiles ! Imagine-toi que dans leur hâte ils n'avaient pas pris la peine d'ôter leurs plumes !

Jérôme

On a déjà vu ça. Oui, Monsieur, vous avez raison : pauvres oiseaux ! A trop se presser ils ne gagnent rien et perdent tout. Quoi qu'ils fassent, qu'ils aiment, qu'ils chantent ou qu'ils mangent, ils n'ont qu'une seule, qu'une longue, qu'une interminable pensée, la pensée qu'ils sont, qui coq, qui poule, qu'ils sont un oiseau, un seul oiseau, toujours le même oiseau. Leur destin est uniforme; ils n'ont qu'un seul plumage. Et comme vous l'avez si bien remarqué : ils ne prennent même pas la peine de l'enlever. L'homme au contraire diversifie sa conscience; il change de costume en changeant de sentiment. Il ôte son chapeau pour saluer une idée, le remet pour coiffer une sottise. Une cravate claire lui rappelle qu'il a décidé de sourire; s'il la noircit, sa femme est morte. La guillotine le rapetisse, la couronne le grandit. Un feutre rabattu lui donne idée de passer inaperçu et le chapeau melon qu'il a le crâne rond. Ainsi peut-il penser ses états successifs. La dignité humaine est une question vestimentaire parce que précisément la conscience est un costume, une mise en scène, un théâtre.

Le sénateur

Ah, mon cher théoricien, comme tu as raison !

Jérôme

Alors, Monsieur le Sénateur, il ne vous reste plus qu'une chose à faire : aller changer de costume. Vos sentiments ont changé depuis que vous avez revêtu cette redingote.

Le sénateur

Je me demandais pourquoi, frappé de douleur, j'étais si peu souffrant, pourquoi je pouvais parler, sourire, suivre un raisonnement, pourquoi je ne me roulais pas par terre avec les larmes et les cris.

Jérôme

Vous portez un habit de cérémonie : impossible de vous rouler par terre cérémonieusement.

Le sénateur

Ah, défroque importune !

Jérôme

Venez, Monsieur, je vais vous habiller selon votre coeur.

(Jérôme et le sénateur sortent d'un côté pendant qu'entre de l'autre Madame Salvarson, traînant par la main un pitoyable Don Juan.)

SCÈNE HUITIÈME

Don Juan
Je n'ai pas faim.
Madame
Venez, venez, la cuisine n'est pas loin.
Don Juan
Je n'ai pas faim, je vous jure.
Madame
Petit menteur, grand coquin, je vous connais mieux que vous-même. Vous avez faim, vous vous mourez de faim. Venez à la cuisine. Il faut manger, manger, beaucoup manger. Ainsi redeviendrez-vous fort et pourrez-vous m'aimer comme je vous aime ô mon beau Don Juan !

(Elle l'étreint farouchement)

Don Juan
Ciel, j'étouffe ! Ciel, je suis englouti !
Madame
Que dites-vous, chéri ?
Don Juan
Je ne dis rien, seulement vous m'écrasez.
Madame
Je vous briserais !
Don Juan
N'en faites rien, Madame, n'en faites rien !
Madame
Si je m'écoutais, oui, je vous briserais.
Don Juan
Ecoutez-moi plutôt : oui, il me semble que j'ai faim.
Madame
Je le disais : vous mourez de faim.
Don Juan
Voilà des semaines que je n'ai pas mangé.
Madame
Comme je vous comprends de mourir de faim, moi qui me meures de vous !
Don Juan
Madame, vous me faites mal ! Madame, je vais réellement mourir !

Madame

Je ne vous serrerai jamais trop quand vous aurez mangé. Loin de vous faire mal, mes étreintes ne vous feront que du bien. C'est vous qui me serez cruel. Ah, que j'ai hâte de souffrir ! Depuis des semaines, dites-vous ? Non, c'est depuis des mois, depuis des années ! Venez, grand menteur, petit coquin ! Venez à la cuisine; nous nous mourons de faim.

(Comme ils sont entrés, ils sortent, Madame Salvarson traînant Don Juan par la main.)

SCÈNE NEUVIÈME

Jérôme

(qui a vu) Cher Sénateur, vous êtes bien logé, mais n'en menez pas plus large, à ce que je viens de voir, dans votre maison que dans votre écurie. Voilà ce qui arrive quand on a besoin d'un théoricien . . . Mais en a-t-il vraiment besoin ? Le théoricien parfois se le demande. Chose certaine, quand on réussit à traverser la politique d'un pays et à s'asseoir dessus, au Sénat, on a au moins du flair. Exemple, le curé dans les champs : « Mais allez donc chez la veuve Scott, mon ami. » On le déroute car s'il avait suivi Don Juan à la trace, il aurait pu devenir gênant, le saint homme, surtout si on voulait refiler l'illustre séducteur à Madame, quitte à faire payer les broutilles par le théoricien. Jérôme, mon ami, il ne faudrait pas que tu te crois trop malin.

Martine

(qui vient d'entrer, après avoir écouté un peu) Vous parlez seul !

Jérôme

Quoi, je ne suis pas un animal ! Non seulement je me parle, mais je me réponds.

Martine

Prenez-y garde : on a pour soi tant de complaisance que l'on radote vite dans ce genre d'entretien.

Jérôme

Vous préféreriez que je vous réserve les produits de mon intelligence. Je vous ai donné ceux de mon amour et j'en ai du regret.

Martine

Mais alors, ne vous gênez pas : reprenez-les !

Jérôme

Cela serait vous aimer derechef : distingue-t-on à ce jeu ce que l'on prend de ce que l'on donne ? Je prends; en même temps je donne. Si je reprends, je redonne; je ne serais pas plus avancé.

Martine

Vous ne m'aimez donc plus !

Jérôme

N'exagérons rien : je vous aime encore, mais je vous aime moins.

Martine

C'est juste puisque vous venez de me trahir, n'étant pas celui que j'embrassais. Déguisé, vous m'avez abusée.

Jérôme

Pardon, c'était l'autre !

Martine

La voilà, votre trahison : en vous embrassant j'ai été saisie par un autre. Ne dites pas que vous n'y étiez pour rien, car je n'y étais pour rien non plus; ne cherchez pas à vous disculper. Contentez-vous de regretter. Vous ne m'avez pas trahie impunément : jamais plus je n'oublierai cette moustache qui si gentiment me chatouillait la joue.

Jérôme

Un baiser comme le mien ne saurait plus vous convenir.

Martine

Je ne dis pas non, mais il faudrait que nous soyons seuls, tous les deux, dans le désert Sahara.

Jérôme

Vous m'aimeriez alors faute de l'autre. Ce qui veut dire que vous ne m'aimez plus beaucoup.

Martine

Tel que je vous vois, non, en effet.

Jérôme

Je n'ai pas la vocation du désert. Que faudrait-il que je devienne ?

Martine

Restez le même, mais laissez-vous pousser des moustaches.

Jérôme

Des moustaches comme à Don Juan ?

Martine

Oui, très exactement, sans un poil de plus, sans un poil de moins.

Jérôme

O ciel ! qu'une dame soit violée par un singe, son mari devra s'habiller de poil !

Martine

Oui, sans doute, s'il aime sa femme. Il se fera singe pour que celle-ci oublie le singe.

Jérôme

Ça, c'est de la théorie ! Parfait, vos moustaches, vous les aurez ! Après tout, elles sont plus faciles à reproduire que toute une fourrure. Et plus montrables !

Martine

Jérôme, mon ami, comme vous avez bon caractère ! Vous vous adaptez à ma main comme un gant.

Jérôme

Parbleu ! un théoricien est toujours heureux de rencontrer sa théoricienne !

Martine

Que faites-vous là ? Mais, Monsieur, vous n'avez pas encore de moustaches !

(Elle le repousse et sort.)

SCÈNE DIXIÈME

Jérôme

Ah, l'admirable créature ! Quelle logique ! Quelle rigueur ! Des moustaches, je suis chanceux : si le cheval du Sénateur, venu céans comme celui-ci voulait, l'avait saisie par surprise, je serais réduit à hennir pour la reconquérir !

Le sénateur

(étant survenu) Jérôme, je te l'ai déjà dit : Arthur est un hongre; il ne hennit pas aux cavales.

Jérôme

Je prenais le hennissement à mon compte. D'ailleurs il ne s'agit pas d'une cavale, mais de ma maîtresse.

Le sénateur

Quelle différence ? Moi, c'est très simple, femme et cavale me donnent une même impression. Je les juge à la démarche, aux formes mouvantes, à l'harmonie qui se déplace . . . Comment la trouves-tu ?

Jérôme

Ma maîtresse ? La cavale ?

Le sénateur

(qui porte une défroque lamentable) Non, ma tristesse.

Jérôme

Je la trouve . . . Je la trouve un peu fripée.

Le sénateur
(fièrement) Elle est désespérée.
Jérôme
En tout cas remarquable.
Le sénateur
Remarquable ? Mais tu ne l'avais pas vue !
Jérôme
Excusez-moi, j'étais distrait. Ce sont les moustaches, voyez-vous.
Le sénateur
Les moustaches, quelles moustaches ? Je ne vois pas de moustaches !
Jérôme
Je ne les ai pas encore, mais je devrais les avoir.
Le sénateur
Quel rapport ont-elles avec ma tristesse ? Aucun ! Comme tu me négliges ! Jérôme, je ne te reconnais plus.
Jérôme
Voilà ! vous y êtes : sans moustaches je suis méconnaissable. Vous comprenez maintenant, Monsieur le Sénateur, pourquoi il me les faut. Ma maîtresse, elle-même, ne me reconnaît plus. Je tiens à elle.
Le sénateur
Bon, mets-toi des moustaches et revenons à ma tristesse. Trahi par mon cheval, j'ai suivi ton conseil et me suis habillé en magoua. Je me sens triste, triste . . .
Jérôme
Triste d'une tristesse si poignante qu'elle peut vous rouler sur le plancher avec les larmes et les cris. Vous avez mis le costume approprié à la scène; il ne vous reste plus qu'à la jouer.
Le sénateur
Arthur ! Arthur ! Cheval ingrat, le sabot sur mon coeur . . .
Jérôme
Non, ne la jouez pas : voici Madame.
Le sénateur
Je ne peux plus me retenir.
Jérôme
Retenez-vous : que penserait-elle ?
Le sénateur
Tu as raison : elle ne me comprendrait pas.

(Cependant Madame, qui ne les a pas aperçus, furette dans la pièce, regarde en-dessous d'une chaise, ouvre un tiroir — on n'a pas l'impression qu'elle cherche la grosse bête.)

Madame

Il a filé comme un courant d'air. Où peut-il être à présent, ce coquin, ce fléau ? Que je le tienne, il ne se sauvera plus ! On ne me reprendra plus à être bonne. Avec un brigand, point de quartiers ! Où peut-il être passé, doux Jésus ! . . . Sénateur !

Le sénateur

Est-ce moi que vous cherchez, Hortence ?

Madame

Sénateur, vous m'avez fait peur !

Le sénateur

Excusez-moi : avec ce costume . . .

Madame

Vous ne m'attendiez pas à ce que je vois.

Le sénateur

C'était donc moi !

Madame

Non . . . Mais peut-être l'avez-vous vu ? Il a des moustaches . . .

Le sénateur

Des moustaches ! Vous vous êtes encore tirée aux cartes, mon amie !

Madame

Qu'en savez-vous, mon ami ?

Le sénateur

Les cartes vous ont trompée. Je ne dis pas qu'elles vous aient menti : elles ont parlé trop vite des moustaches. Attendez au moins qu'elles poussent, ma pauvre Hortence !

Madame

Vous déparlez, ma foi ! *(Elle s'éloigne)*

Le sénateur

Je sais ce que je dis.

Madame

(avant de sortir) Un conseil, mon bon ami : avant de me plaindre, commencez donc par vous regarder ! *(Madame sort)*

Le sénateur

Oui, c'est vrai que je suis à plaindre, trahi par mon cheval, pour ne pas dire cocu, Arthur ! Arthur ! qu'as-tu fait de moi ?

Jérôme

Il vous a mis le sabot sur le coeur.

Le sénateur

(oubliant le cheval pour penser à sa femme) Un coquin : quel coquin ? Un fléau ? Des moustaches ? Je ne comprends pas.

Jérôme

Elle a dit aussi : un brigand. C'était sans doute un bien petit brigand : elle le cherchait en-dessous des chaises, dans un tiroir. Peut-être un chat ?

Le sénateur

Pourquoi, un chat ?

Jérôme

Parce qu'il n'y a que les chats qui mangent les souris blanches, Monsieur.

Le sénateur

Les souris blanches ! Quelles souris blanches ? Madame n'a pas de souris blanches !

Jérôme

Oui, elle avait une, une seule, une toute petite souris blanche. Elle vous la cachait. Que voulez-vous, Monsieur ? les femmes ont le goût de la petite bête.

Le sénateur

Je n'en savais rien.

Jérôme

Mais si petite fût-elle, cette souris blanche prenait peut-être dans son estime la valeur d'un cheval. Comprenez-vous son émoi, son trouble, sa colère contre le chat.

Le sénateur

Il est vrai que ce coquin a aussi des moustaches.

Jérôme

Vous avez cru . . .

Le sénateur

Tu venais justement de me parler de ton besoin d'un pareil ornement.

Jérôme

Monsieur le Sénateur, quoi ! Est-ce que j'ai une tête à manger des souris blanches ?

Le sénateur

Non, mais ma femme en a une à te prendre pour le matou !

Jérôme

Monsieur !

Le sénateur

Mettons que j'exagère !

Jérôme

Monsieur !

Le sénateur

Mettons que je n'ai rien dit.

Jérôme

A la bonne heure ! D'ailleurs nous parlions d'autre chose, il me semble. Regardez votre costume, pensez à votre tristesse . . . Arthur ! Arthur ! Cheval ingrat ! Honte de la race chevaline ! . . . Non, ça ne donne pas . . . Juste ciel ! Je me suis trompé. Monsieur, ce n'était pas la peine de bafouer le Sénat et de vous déguiser en magoua : Arthur vous aime encore.

Le sénateur

Jérôme, comment veux-tu que, dans un si piteux appareil, je salue cette lueur d'espoir ?

Jérôme

Vous savez comment il est habillé ? Toujours la même robe de poil rouge qui répète qu'il est Arthur le cheval et rien d'autre. C'est ainsi qu'il vous aimait sans variation possible, simplement, irrévocablement . . . Quelle idée avez-vous eue de vous déguiser ?

Le sénateur

Je ne m'étais pas déguisé.

Jérôme

Le chapeau, la redingote, les guêtres blanches, quel accoutrement !

Le sénateur

Ne devais-je pas le présenter à Madame ?

Jérôme

Je ne mets pas en doute la bonté de vos intentions. Quand même, Monsieur, il ne vous connaissait que sous un seul aspect, celui du cavalier. Il croyait en sa naïveté que vous n'en aviez point d'autre comme il n'avait lui-même qu'une seule robe; il croyait que vous étiez cavalier comme il était cheval, simplement, irrévocablement; il croyait aimer un frère, il croyait aimer une bête. Oui, Sénateur, il croyait être votre égal, et si, comme la jeune épouse qui accepte le jeune époux pour former avec lui le couple voulu de Dieu, il consentait à se faire seller, à se laisser monter, c'est qu'il croyait apporter à cette union exprimant vos amours une part aussi grande que la vôtre; certes il se servait de vos bras pour se conduire, mais vous vous serviez de ses pattes pour marcher.

Le sénateur

Oui, il en était ainsi.

Jérôme

L'équitation est la plus noble expression d'une union charnelle.

Le sénateur

Du moins la plus montrable.

Jérôme

Toutes les autres sont indécentes. Elles s'accomplissent à la faveur des ténèbres, comme le crime, alors que fièrement, le coeur pur, vous montiez Arthur en plein jour. A vous deux vous formiez un être divin : le Centaure.

Le sénateur

Le Centaure, qui me l'eut dit.

Jérôme

Vous ne l'auriez peut-être pas cru.

Le sénateur

Je ne sais pas . . . D'ailleurs, je n'ai jamais abusé de l'équitation. Nous nous permettions, Arthur et moi, de nous rencontrer séparément, tout comme la jeune épouse prend plaisir à bavarder avec le jeune époux même si cette communauté n'est pas aussi étroite que . . . hum ! . . . Ce Centaure me gêne.

Jérôme

Il vous gêne parce que vous l'avez défait. En vous apercevant en redingote, le chapeau à la main, Arthur a su que le cavalier n'était qu'un aspect entre mille d'un être changeant et versatile.

Le sénateur

Oui, je comprends qu'il ait pu douter de ma fidélité.

Jérôme

Il a surtout souffert de l'inégalité du partage : sous mille costumes différents, vous pouvez prétendre à l'amour de mille animaux différents; lui, pauvre cheval, hongre par surcroît, il ne peut aimer que son cavalier. Profondément blessé, il a feint de ne pas vous reconnaître, la dignité animale ne lui permettant pas les soubresauts et grimaces accordés aux humains en pareille occurrence.

Le sénateur

Quel affreux costume tu m'as fait mettre ! Même triste un cheval garde sa belle robe lustrée. Ah ! Jérôme, je suis profondément affligé d'être un homme.

Jérôme

C'est que vous aimez un cheval. De plus ce costume vous déprime. Mettez celui de la joie, vous serez gai; ou, ce qui sera mieux, allez chausser les bottes du cavalier : au seul bruit des éperons traînant sur les dalles de l'écurie, Arthur hennira de bonheur.

Le sénateur

Jérôme, je te dois la vie : comment te remercier ?

Jérôme
Ne me remerciez pas : j'ai pris l'intérêt du cheval.

Le sénateur
Je ne te savais pas si bon. *(Il sort)*

SCÈNE ONZIÈME

Peu après la sortie du sénateur, Madame et Martine surviennent par derrière Jérôme.

Jérôme
Si je suis bon, il est complaisant : il s'habille, se déshabille, se rhabille. En fait de comédie, c'est assez monotone, mais sans lui il ne se passerait pas grand'chose céans. Je me demande au juste comment nous nous en sortirons.

Madame
(lui criant dans le cou) Vous ne vous en sortirez pas, mon cher petit monsieur de l'Astragale !

Jérôme
Ah, Madame !

Madame
Que me disiez-vous, Martine ?

Martine
Je disais que je tiens votre gibier. Quand je l'ai vu s'enfourner dans le placard, j'y ai tout simplement tourné la clef dans la serrure.

Madame
Je ne te savais pas si vigilante... Mais que veux-tu que j'en fasse ?

Martine
Alors je le relâche tout simplement ?

Madame
Tout compte fait, j'ai encore deux mots à lui dire.

Martine
Jérôme, vous surveillerez l'entrée au cas où il m'échappe.

Madame
Gare à toi, mon garçon, si jamais il passait ! Eh bien, qu'attends-tu ?

Jérôme
J'y vais, Madame... *(Il dit en s'éloignant :)* On s'en tirera peut-être à force de complications.

Madame
Eh, Sieur de l'Astragale ! que dis-tu en t'en allant ?
Jérôme
Je me dis que trop parler ne nuit jamais.

(Il sort)

Madame
Mais il parle quand même tout de travers.
Martine
Ne l'écoutez pas : c'est un théoricien.
Madame
Ah, je comprends !
Martine
Vous, Madame, allez m'attendre chez-vous : je vous emmène votre gibier sans plus tarder.
Madame
Je peux très bien l'attendre ici : je n'ai que deux mots à lui dire.
Martine
C'est trop ouvert : vous l'aurez perdu avant la fin du premier.
Madame
Dans ce cas, je vais l'attendre chez-moi.

(Madame sort d'un côté)

Martine
(allant de l'autre) Pauvre Don Juan !

(Martine sort à son tour)

RIDEAU

P A R A D E

Le curé traverse l'avant-scène dans un sens puis dans l'autre, reparaît, retraverse et va sortir quand il tombe sur le sénateur en écuyer, à pied, la cravache à la main.

Le sénateur

Encore vous ! Mais vous êtes increvable, mon Révérend.

Le curé

Je m'essouffle quand même. Je n'ai pas appris la course. Tout va bien pour partir; ensuite je cours, je cours, mais tout va de mal en pis : je ne sais pas quand m'arrêter... Merci de l'avoir fait, Monsieur le Sénateur.

Le sénateur

Vous êtes un curé plein de bonne volonté, ardent, je dirais même.

Le curé

Ardent mais pacifié.

Le sénateur

Je ne l'aurais pas cru. Quand je vous ai vu reparaître au galop ecclésiastique, je me suis même dit : « En voilà un qui a vu l'enfer et s'en revient au presbytère ! »

Le curé

Vous n'y êtes pas, Monsieur le Sénateur, pas du tout ! D'abord sachez que le boxon de la veuve Scott où vous m'avez envoyé, n'est pas du tout ce que je pensais. J'ai même été édifié : il y a là-dedans autant d'images pieuses qu'ailleurs. De plus, devant la maison, un fort beau calvaire qui date, il est vrai, du défunt, lequel était, je crois, marguillier. La veuve l'a quand même conservé.

Le sénateur

En somme je n'ai pas mal fait de vous y envoyer. Mais entre nous, mon Révérend, ne pensez-vous pas que, ce calvaire, la veuve l'a gardé à cause des larrons ? Ne lui fournissent-ils pas le gros de sa clientèle ?

Le curé
A tout péché miséricorde. Sur deux clients, la veuve Scott en a au moins un qui sera sauvé. Ensuite, Monsieur le Sénateur, sachez que je n'ai pas retrouvé mon comédien. C'est pour cela que je galope et non parce que j'ai aperçu l'enfer. Vous vous faites des curés une idée plutôt sommaire. Je me demande même si vous ne les prenez pas pour des niais.

Le sénateur
Loin de moi cette idée ! N'entendent-ils pas les gens en confession ? Vous en connaissez sans doute plus long que moi sur tous les péchés de la terre.

Le curé
Bon ! Bon ! je vous crois. Cela ne me redonne pas mon homme. Et j'en ai besoin, Dieu le sait ! Sénateur, pensez donc : une salle paroissiale pleine ! La veuve Scott elle-même est descendue au village. Il n'y avait plus dans le boxon que la vieille grand'mère. Si les concurrents se déplacent, imaginez la recette ! Je me meurs à la pensée de devoir rembourser. Ne l'avez-vous pas vu ? Une sorte d'Italien, un escogriffe à moustaches.

Le sénateur
Non, je n'ai rien vu de ça.

Le curé
Sénateur, ce n'est pas tout !

Le sénateur
(s'arrêtant, sans se retourner) Qu'y a-t-il encore, Révérend ?

Le curé
Savez-vous que vous m'avez fait courir pour rien ?

Le sénateur
(se retournant) Pour rien ? Vous venez de me dire que le boxon vous avait édifié !

Le curé
En moins pire : ça ne monte pas haut.

Le sénateur
Et puis, mon ami, vous étiez parti : il fallait bien vous relancer.

Le curé
Me dérouter. Et dire que je vous ai cru !

Le sénateur
N'était-il pas possible que votre escogriffe fût chez la veuve ?

Le curé
Autant que chez-vous . . . Au fait, Sénateur, pourquoi n'avez-vous pas pensé à venir voir la pièce ?

Le sénateur
Vous avez trop couru, mon Révérend : vous dépassez votre pensée en me posant des questions impertinentes ? C'est mon ami, votre évêque, qui serait surpris de les entendre ? Savez-vous qu'il compte sur moi ? Qu'il me voudrait commandeur ?

Le curé
Excusez-moi, je ne savais pas.

Le sénateur
Prenez le conseil d'un vieil ami : retournez tout simplement à votre salle paroissiale, posément, sans courir : votre comédien y sera.

Le curé
Peut-être avez-vous raison, Monsieur le Sénateur ?

Le sénateur
Vous n'êtes pas obligé de me croire.

Le curé
Je vous crois, je vous crois, commandeur. *(Il repart en courant)*

Le sénateur
Eh, curé !

Le curé
(stoppant) Quoi ?

Le sénateur
Posément, j'ai dit, en homme d'église.

Le curé
Excusez-moi. *(Il sort à grands pas)*

Le sénateur
Il ira loin, ce curé. Si j'étais encore député, je m'en ferais un ami. J'en toucherai un mot à Monseigneur. « C'est un missionnaire que vous avez là ! Envoyez-le donc en Afrique. »

(Le sénateur sort. Le curé revient)

Le curé
Si le boxon était chez ce soi-disant Commandeur . . . Il était bien pressé de se débarrasser de moi !

(A pas feutrés, il va se dissimuler dans les coulisses et le rideau s'ouvre sur le deuxième acte.)

ACTE DEUXIÈME

Même décor

SCÈNE PREMIÈRE

Don Juan
Allons au jardin. J'aime les fleurs et les jardiniers. Les fleurs évoquent l'amour, et les jardiniers, je l'ai souvent remarqué, ont les plus beaux enfants du monde.

Martine
Notre jardinier a fait le voeu de chasteté.

Don Juan
Avant que de le faire il eut sans doute le temps...

Martine
Non, il tétait encore sa mère.

Don Juan
Allons-y quand même pour les fleurs.

Martine
Vous les verrez une autre fois. Madame vous attend.

Don Juan
C'est une attente amoureuse. Que peut-elle attendre de mieux ? Qu'elle languisse encore; sa récompense sera meilleure.

Martine
Elle a eu pitié de vous. Avez-vous pitié d'elle. Vous étiez faible et sans vie; elle a consenti à ce que vous mangiez.

Don Juan
Elle voulait me faire manger de la viande : je suis végétarien. J'ai profité de sa collation pour examiner les lieux : les Sénateurs se logent bien !

Martine
Madame, ne vous retrouvant pas à la cuisine, vous a cherché partout, de la cave au grenier. En vain. Alors, au désespoir, elle s'est retirée chez-elle, me demandant toutefois de continuer son enquête. Et je vous ai découvert dans un placard fermé à double tour de clef.

Don Juan
J'aime l'ombre et le silence. Dans ce placard je méditais.

Martine
Vous n'étiez donc pas caché !
Don Juan
Non, simplement retiré. Cela m'arrive. Je pense alors à toutes ces femmes qui m'ont aimé, à celles qui sont mortes, aux autres qui m'aiment encore.
Martine
Vous ne semblez pas intéressé à augmenter la collection.
Don Juan
Au contraire elle augmente chaque jour. Je suis recherché plus que jamais. A tel point que je peux me cacher dans un placard : je suis certain qu'une femme saura m'y rejoindre.
Martine
S'il en est ainsi, pourquoi ne restez-vous pas au lit ?
Don Juan
La dernière maîtresse y resterait aussi. Or c'est la prochaine que je préfère.
Martine
Vous ne doutez pas de vos mérites.
Don Juan
Ma gloire n'a jamais été aussi haute.
Martine
Vous vivez sur vos lauriers.
Don Juan
Mes lauriers sont innombrables. Je suis celui à qui toute femme qui soupire s'empresse de rêver.
Martine
Ça la contente ?
Don Juan
Non, ça la creuse davantage.
Martine
Quel homme vous êtes !
Don Juan
Le plus aimé des hommes.
Martine
Vous suffisez à la tâche ?
Don Juan
Ma réputation . . .
Martine
Une réputation ne suffit pas dans cette sorte d'affaire. Je comprends que vous les creusiez davantage, vos femmes, si pour tout aliment vous ne leur donnez qu'une réputation.
Don Juan
Mon passage chez elles laisse des regrets éternels.

Martine
Vous passez comme la gratelle; la démangeaison suit.
Don Juan
Des centaines, des milliers de femmes . . .
Martine
La gratelle est contagieuse.
Don Juan
Je passe de l'une à l'autre; ne me retient pas qui veut.
Martine
Les gens de peu d'appétit touchent à tout et ne prennent rien.
Don Juan
Que voulez-vous dire ?
Martine
Que vous êtes une bête frugale.
Don Juan
Ma réputation . . .
Martine
Elle est sans doute comme vos moustaches.
Don Juan
Mes moustaches ont l'habitude de faire frémir.
Martine
Qu'elles soient raides ne prouve rien sur le reste.
Don Juan
Autrefois les soubrettes étaient moins sceptiques.
Martine
Elles croyaient en vos mérites. Vous en étiez fier. Vous faisiez la roue autour d'elles.
Don Juan
Elles étaient pures.
Martine
Elles étaient niaises.
Don Juan
Elles étaient capables d'amour.
Martine
Vous n'aviez pas à les aimer. Il vous suffisait de rouler vos moustaches. Et si l'affaire devenait pressante vous l'esquiviez, passant d'une fille à l'autre sans vous compromettre. Vous n'êtes pas un homme, vous êtes un mythe.
Don Juan
Vous me connaissez donc !
Martine
Qui ne connaît pas Don Juan !
Don Juan
Vous avez prétendu le contraire.

Martine
Pour vous décontenancer. Sans réputation que vous reste-t-il ? Des moustaches. Et encore, je ne suis pas certaine qu'elles ne soient pas postiches.

(elle tente de les arracher)

Don Juan
Aie !
Martine
Elles sont teintes alors.
Don Juan
Ce n'est pas une raison pour tirer dessus.
Martine
Pardon.
Don Juan
Vous êtes sans pitié.
Martine
Je suis sans pitié pour l'artifice.
Don Juan
Vous êtes jeune; vous êtes belle sans artifice. Il n'en sera pas toujours de même et vous aurez besoin plus tard de ce que vous méprisez.
Martine
Vos artifices ne sont rien à côté de votre cruauté. Des milliers de femmes vous ont aimé, que vous avez dédaignées.
Don Juan
Elles étaient malheureuses, elles reportaient sur moi leurs amours déçues.
Martine
Pourquoi les avez-vous dédaignées ?
Don Juan
Parce que l'amour les avait déjà dédaignées.
Martine
Elles étaient folles de vous.
Don Juan
On les avait élevées pour être folles. Vous exagérez mon influence, ma petite Martine. Pourquoi m'accusez-vous ?
Martine
Je ne vous accuse plus si vous le prenez sur ce ton.
Don Juan
Vous l'avez dit : je ne suis qu'un mythe, un mythe dont la présence dans l'histoire servira à comprendre la condition des femmes jusqu'à cette génération.

Martine
Ce fut le malheur qui vous a suscité.
Don Juan
Comme la famine a suscité des ogres et l'ignorance des sorciers. Je ne suis qu'un reflet. Ne m'accusez pas d'être l'incendie.
Martine
Je ne vous accuse plus.
Don Juan
Alors, petite fille, voulez-vous que nous fassions la paix ?
Martine
Je veux bien.

(Elle lui donne la main.)

Don Juan
Vous êtes de la nouvelle génération. Je ne peux pas vous demander de m'aimer. Accordez-moi un peu de pitié.
Martine
Pauvre vieux Don Juan !
Don Juan
Nous pourrions peut-être la sceller, cette paix.

(Ils échangent un baiser furtif.)

Martine
Le sceau de Don Juan : un baiser sans conséquence ! Au fond vous êtes un pur, un chaste, peut-être un impuissant. Pourquoi vous obstinez-vous à jouer Don Juan ?
Don Juan
Je le joue comme les rois s'obstinent à régner. Par habitude et parce que je n'en connais pas d'autre. Ce personnage est mon destin.
Martine
Le destin ! Ouida, comme vous y allez ! Vous ne trouvez pas que c'est un bien grand mot en rapport avec le personnage qui rapetisse et tourne à l'opérette.
Don Juan
Le théâtre me sauvera peut-être. Je me verrais assez bien en comédien. En attendant je reste fidèle à ma clientèle qui prend de l'âge et perd son romanesque.
Martine
A Madame qui vous attend ?
Don Juan
J'étais heureux dans mon placard : pourquoi m'en avez-vous retiré ?

Martine
Je peux vous y remettre, mais j'avertirai Madame. Vous y serez avec elle plus à l'étroit qu'en compagnie de toutes les dames et demoiselles, mortes et vives, dont vous caressiez le souvenir.

Don Juan
Laissez-moi tenter le théâtre. Oui, je chanterai l'opérette. Je serai Daniel et je descendrai dans la fosse aux lions. Comme Samson à Dalila, je vous dis, Mademoiselle : « Tout ! Tout, mais pas ça ! »

Martine
Allons, Don Juan, courage ! Vous savez bien que vous n'y couperez pas. Daniel en est revenu; vous en reviendrez de même. Quant à Dalila, c'est très simple : ne vous endormez pas; essayez plutôt d'endormir Madame.

Don Juan
C'est tout de même inquiétant de descendre dans pareille fosse. Mais puisqu'il le faut, je descendrai.

Martine
Un instant, vous pourriez vous égarer. *(Le tenant par le bras et criant vers les coulisses)* Jérôme, un client pour Madame !

Jérôme
(dans les coulisses) Bien, je l'attends.

Le sénateur
(surgissant de l'autre côté) Un Centaure ! Je suis un Centaure !

Don Juan
Ciel ! c'est un fou !

Martine
C'est Jérôme : il vous conduira.

Don Juan
(prenant la fuite et courant vers l'endroit où le vrai Jérôme l'attend. Au moment de sortir) Excusez-moi, Martine. *(Il sort)*

Le sénateur
Hé ! Jérôme !

Jérôme
Venez donc, mon bon Monsieur !

Martine
Ouf ! quel agité ! J'ai bien failli l'échapper.

SCÈNE DEUXIÈME

Martine
(au sénateur qui ne comprend pas) Bonjour, Monsieur le Sénateur.
Le sénateur
(beaucoup moins Centaure qu'à son arrivée) Bonjour, ma belle enfant, bonjour... Mais que se passe-t-il ! Ce Jérôme est d'une impertinence ! Tu en as été témoin : il me fuit ! Je n'aurais jamais cru que des moustaches eussent pu le changer à ce point : il en est méconnaissable !
Martine
Il ne se reconnaît plus lui-même : il se prend pour Don Juan.
Le sénateur
Lui, Don Juan ? Elle est bien bonne !
Martine
Lui, Don Juan, vous, un centaure.
Le sénateur
Moi, c'est très simple : je m'en vais rejoindre Arthur, le seller, le monter, courir de son galop, le conduire de ma tête... Mais lui, Don Juan : non, vraiment, je n'en reviens pas.
Martine
Cela n'est pas si drôle pour moi : il était mon bon ami.
Le sénateur
On lui coupera les moustaches : il le redeviendra.
Martine
Je n'y avais pas pensé... Ah ! merci, Monsieur !
Le sénateur
Tu es jeune et belle; tu n'as pas encore d'idée dans la cervelle; peut-être l'as-tu ailleurs ?
Martine
Je n'en sais rien, Monsieur.
Le sénateur
Elle n'en sait rien ! Ah, sainte jeunesse !
Martine
Je voudrais bien savoir.
Le sénateur
(lui tenant le menton) Eh, ça viendra ! ça viendra ! Le théoricien ne t'a pas encore instruite ?
Martine
Non, monsieur.

Le sénateur
(lui lâchant le menton) Ça viendra... En attendant, laisse-moi te dire que je suis content.

Martine
En effet, Monsieur, vous rayonnez.

Le sénateur
J'ai retrouvé mon cheval.

Martine
L'aviez-vous perdu ?

Le sénateur
Il ne m'aimait plus.

Martine
Ah !

Le sénateur
Comme tu ouvres bien la bouche pour dire : ha !

Martine
Monsieur, vous êtes trop bon.

Le sénateur
Belle bouche, oeil vif, nazeau frémissant, jambe fine, poitrail abondant : eh ! tu pourrais me plaire !

Martine
Monsieur, vous m'en voyez confuse.

Le sénateur
Mais tu n'es pas cheval, quel dommage !

Martine
Je pourrais peut-être essayer...

Le sénateur
Non, ce n'est pas la peine : Arthur m'attend. Adieu, belle enfant.

Martine
Adieu, Monsieur le Sénateur.

(Ils sortent, qui à droite, qui à gauche.)

SCÈNE TROISIÈME

Le curé, toujours en courant, mais sur la pointe des pieds, cette fois-ci, entre et fait le tour de l'antichambre.

Le curé
Enfin, nous y voici, dans cette fameuse maison ! Grande, grande : on y pourrait loger toute une congrégation ! Personne : elle semble encore plus vaste. Un boxon ? On ne peut pas dire que

ce soit celui des deux larrons; ce serait plutôt celui de Son Excellence... Seigneur, ne nous induisez pas à la tentation et préservez-nous du mal, amen. Je ne suis qu'un pauvre curé de campagne : vous la connaissez, ma tentation ? Toujours la même, Seigneur : celle de préférer la veuve Scott à tous les sénateurs de la terre. Tâchez de m'allécher d'une promotion dans la Hiérarchie avant que je ne devienne révolutionnaire. O saint Antoine de Padoue, complice de la distraction, grand receleur des objets perdus et dérobés, faites que je retrouve Don Juan. C'est pour cela que je suis ici comme un voleur. Et pourtant je suis plutôt le volé. Oui, je sais : j'ai peut-être fermé les yeux. Mais je n'avais pas prévu que j'aurais tant de mal à le retrouver. N'oubliez pas que j'ai payé son passage depuis Québec; cet escogriffe est la propriété de la paroisse jusqu'à demain, peut-être jusqu'après-demain si jamais, par la volonté de Dieu, il fallait donner une représentation supplémentaire. S'il a filé à l'anglaise, c'est qu'il est aussi catholique que moi et connaît les bienfaits de la réclame. Le spectacle pourra être retardé; j'ai fait la langue au bedeau; « Très chers frères, dira-t-il, il s'agit de l'authentique Don Juan. La preuve en est que nous l'avons échappé. Ce n'est pas le théâtre qui l'intéresse, mais la chasse aux dames et demoiselles. Notre dévoué curé est parti à sa poursuite. Il n'est pas homme à laisser un séducteur patrouiller sa paroisse. Faites une petite prière pour que le bon Dieu coure plus vite que le diable. Plus vite il le rejoindra, plus vite le spectacle commencera. En attendant, prenez patience. » Un boniment qui me laisse quelque délai. Saint Antoine, il ne faudrait pas toutefois qu'il dure trop longtemps, car les paroissiens et paroissiennes, qui sont de chair malgré leur âme, pourraient céder au Malin et s'imaginer des choses, des choses possibles, par exemple que leur pasteur ait enfilé derrière le patrouilleur. Oui, ils me pensent plus bête que je ne suis... O grand saint, écoutez ma prière, sinon gare aux représailles ! Vous occupez une bonne place dans notre église; vous pourriez la perdre et vous retrouver dans la cave, à côté de la statue de sainte Philomène, sur le carré de charbon ! Cela soit dit sans animosité, seulement pour vous faire comprendre que nous ne vous prions pas du bout des lèvres. Au travail, saint Antoine de Padoue ! Je n'entends pas que vous laissiez tout faire par le hasard ! Eh, on vous connaît : dans votre douceur franciscaine, il y a bonne part de nonchalance. J'exige de vous un signe. Répondez à ma question : Don Juan est-il ou non dans cette maison ?

(Hennissement de cheval) Voilà qui s'appelle parler ! Ce n'est pas tout; dites-moi, dois-je l'attendre ici ? . . . Dans le jardin ? *(Hennissement prolongé.)* Bon ! bon ! Je ne suis pas sourd. Il me reste à trouver le jardin.

(Le curé repart en courant, toujours sur la pointe des pieds et, après avoir fait un ou deux tours de la scène, sort.)

SCÈNE QUATRIÈME

(Souliers à la main, levant haut le pied, survient Don Juan.)

Don Juan
Dieu protège les purs. Comme Daniel je sors indemne de la fosse. De chanson et de miel, j'ai endormi la bête fauve. Me voici seul, libre et heureux ! Lorsque par son astuce et sa fantaisie il peut se tirer des griffes de la femme, l'homme est un dieu.

Madame
(dans les coulisses) Don Juan ! Don Juan !

Don Juan
Mais sa divinité, hélas, est de courte durée.

(Il remet ses souliers et Madame paraît)

Madame
Ah ! Don Juan, vous voilà ! Que faites-vous ici ?

Don Juan
Je noue le lacet de mon soulier gauche.

Madame
Pour fuir ?

Don Juan
Pour aller au jardin. Mais si bien lacé soit-il, un seul soulier ne suffit pas, je mets donc mon soulier droit et c'est encore, je ne vous le cacherai pas, afin de me rendre au même endroit.

Madame
Que ce soit sur un pied ou sur les deux, avec ou sans soulier, que ce soit pour aller au jardin ou pour monter jusqu'au grenier, le résultat est le même : vous m'avez abandonnée.

Don Juan
Vous vous étiez abandonnée.

Madame
Je m'étais donnée.

Don Juan
A trop se donner on s'abandonne. Ce fut ce qui vous advint; vous vous endormîtes sur vos dons.

Madame
Ce fut par griserie.

Don Juan
Mais grisée, vous ronflâtes. Je crus que je vous ennuyais.

Madame
L'ennui, c'est vous qui l'éprouviez.

Don Juan
J'avoue que je l'éprouvai à mon tour. Après vous avoir regardé dormir je m'en suis lassé.

Madame
Inconstant !

Don Juan
Vous avez une manière agréable de dormir mais c'est toujours la même. Vous dormez comme vit une rose.

Madame
Je ne vous crois pas.

Don Juan
C'est pourtant, la tige en moins, la vérité.

Madame
Vous venez de dire que je ronflais.

Don Juan
Je voulais signifier le désintérêt que vous me manifestiez. On vous entend à peine respirer : le souffle d'une rose.

Madame
Laissez-là cette rose.

Don Juan
Ce fut ce que je fis; je laissai là la rose pour aller au jardin vérifier la justesse de la métaphore.

Madame
Et moi alors de m'éveiller dans la solitude et dans l'angoisse... Ah ! Don Juan, j'ai failli en mourir !

Don Juan
C'eût été une façon, madame, de vous rendormir. Et à votre second réveil vous m'eussiez trouvé à vos côtés.

Madame
Comme un ange.

Don Juan
Je vous eusse enveloppée de mes ailes . . .

(Hennissement dans les coulisses)

Madame
Le diable rit de vos caresses d'ange.

Don Juan
C'est en effet un bruit étrange.

Madame
Peut-être mon mari ?

Don Juan
Courons au jardin.

Madame
Chez-moi. Au jardin, vous n'y pensez pas ! De quoi aurions-nous l'air dans les plates-bandes !

Don Juan
Vite, ma rose, ou nous serons cueillis !

(Ils sortent d'un côté pendant que de l'autre revient le curé.)

Le curé
(après avoir fait le tour de la scène) Le Seigneur a dit : aide-toi et le ciel t'aidera. Je ne peux pas tout demander à saint Antoine. Fichu jardin, où peut-il se trouver ?

(Il refait le tour de la scène en courant et sort par le mauvais côté pendant que de l'autre surviennent Martine et le sénateur.)

SCÈNE CINQUIÈME

Martine
Quel rire vous avez eu ! Il faut que vous soyez vraiment gai, Monsieur !

Le sénateur
Je ne suis pas triste, mon enfant, mais je ne suis pas gai non plus.

Martine
Je croyais que vous aviez ri.

Le sénateur
Non, ce n'était pas moi. A moins que j'aie éternué.

(Martine, pour replacer un fauteuil, tourne le dos au sénateur. Autre hennissement.)

Martine
Vous avez là, Monsieur, un mauvais rhume.

Le sénateur
Ne m'en parlez pas : le centaure ne me vaut rien. Je n'étais pas sorti de l'écurie que j'y rentrais avec le frisson. J'avais pris froid, je crois. C'est peut-être la gourme.

Martine
Eh, Monsieur, il faudra qu'on vous soigne. Cette gourme, il doit y avoir un moyen de la jeter.

Le sénateur
A vrai dire, je suis plus triste que gai.

Martine
C'est ça qui est malsain.

Le sénateur
Je me suis lancé, je crois, dans une entreprise surhumaine.

Martine
Ce sont pourtant de telles entreprises qui marquent les héros.

Le sénateur
Les héros n'ont pas le frisson. Dans l'état où je suis, je préférerais vous aimer, belle enfant.

Martine
M'aimer, Monsieur ? Cela serait trop facile.

Le sénateur
Plus reposant en tout cas.

Martine
Plus reposant ? Je pense que sur ce point vous seriez bien déçu.

Le sénateur
Le cheval me déçoit autant.

Martine
En effet, le cheval est aussi violent. Mais vous auriez pu aller à petit pas, à petit trot. Rien ne vous obligeait au grand galop.

Le sénateur
Pauvre Arthur ! il m'avait redonné sa tendresse.

Martine
De quoi vous plaignez-vous alors ?

Le sénateur
De sa morphologie.

Martine
De cette morphologie qui vous a appris, me disiez-vous, à goûter celle des femmes ?

Le sénateur
Voilà bien mon malheur !

Martine
Un si bel enseignement !

Le sénateur
A présent que j'apprécie la démarche et les formes féminines, il me semble que je les préfère aux chevalines; elles sont tellement plus humaines !

Martine
Que les femmes soient plus humaines que les chevaux, je vous l'accorde; mais ce n'est pas en les aimant que vous vous distinguerez des autres hommes.

Le sénateur
C'est encore le plus sûr moyen d'être aimé.

Martine
Etre aimé ! Je ne vous savais pas si humble.

Le sénateur
S'il est humble d'être un homme, humble je suis.

Martine
Vous me décevez.

Le sénateur
D'être un homme ?

Martine
De rechercher l'amour des femmes.

Le sénateur
Elles seules ont ma mesure.

Martine
C'est précisément à vous mesurer à elles que vous vous diminuerez.

Le sénateur
L'amour d'un cheval ne me grandira pas d'un pouce.

Martine
L'amour d'un cheval, voilà ce qui est grand.

Le sénateur
A ce compte aimer un éléphant serait sublime.

Martine
C'est par un amour surhumain qu'on dépasse sa nature.

Le sénateur
Malgré mes voeux et mes prières jamais je ne deviendrais cheval ni éléphant.

Martine
Vous cesseriez d'être un homme, vous deviendriez un dieu.

Le sénateur
Ce n'est pas le culte de la grosse bête qui mène, que je sache, à la divinité. D'ailleurs qui vous dit que je veuille être dieu ?

Martine
A votre âge c'est une carrière légitime. D'un homme assez usé il est sage de faire un dieu.

Le sénateur
Mon enfant, je ne me sens pas si vieux. Au contraire, depuis quelques jours, à la faveur d'un trouble étrange, j'ai le coeur plus jeune que jamais. Je crois que je vais devenir un homme pour la première fois.

Martine
Vous vous y prenez tard.

Le sénateur
C'est d'autant plus grisant.

Martine
Dans ce cas, je pourrais peut-être vous aider.

Le sénateur
Euh ! . . . je ne dirais pas non.

Martine
Vous aurez besoin dans cette nouvelle carrière du concours d'une femme.

Le sénateur
Ouida ! Seulement entre le cheval et vous la différence est extrême. Je vous admire, mais je vous trouve aussi bien mince et délicate. Votre bonne volonté me touche, mais j'ai été trop longtemps un cavalier : je doute que ce soit sur vous que je puisse prendre mon empreinte. J'aimerais trouver une forme intermédiaire.

Martine
Mais alors, Monsieur, pas besoin de chercher : vous avez Madame !

Le sénateur
Madame ? Je l'avais oubliée. Mais c'est vrai, savez-vous ? Elle fera l'article.

Martine
Comme forme intermédiaire, vous ne pourrez jamais frapper mieux. Je dirai plus, Monsieur le Sénateur : même si vous l'avez quelque peu négligée, vous la trouverez consentante et bien dressée. Comment se fait-il ? La vocation, Monsieur.

Le sénateur
Eh ! je me sens déjà beaucoup mieux . . . Pauvre Arthur, tout de même ! Je lui dois tout et je le délaisse. Mais je ne serai pas

ingrat, non ! Inhumain et grotesque, il a fallu que j'aime un animal pour revenir à ma nature; en retour il sera juste qu'Arthur ait ses appartements dans la maison d'un sénateur.

Martine

Monsieur, vous n'y pensez pas ! Et mes planchers ?

Le sénateur

Il faut que je voie Hortence sans plus tarder car je me demande même si nous ne la ferons pas coucher avec nous, dans la chambre conjugale.

Martine

Hélas ! Madame est prête à toutes les concessions.

Le sénateur

Je me sens beaucoup mieux, beaucoup mieux ! Adieu, belle enfant !

(Il sort)

Martine

Moi, je le trouve plus fou que jamais.

(Entre Jérôme, porteur de moustaches)

SCÈNE SIXIÈME

Jérôme

Vous les vouliez : eh bien ! les voici.

Martine

Qu'elles sont belles et bien roulées ! Ah, mon Don Juan !

Jérôme

Votre Don Juan ? Y pensez-vous, Mademoiselle ! En deux temps, deux mouvements, j'aurais conquis la plus niaise des pucelles.

Martine

Ah oui ! Ah oui ! Entre vos bras, ô Don Juan, je suis la plus fondante, la plus niaise des . . .

Jérôme

Des qui ?

Martine

C'est que . . .

Jérôme

C'est que quoi ?

Martine

C'est que je suis celle qui fut pucelle et qui ne l'est plus.

Jérôme
Alors, Mademoiselle, vous ne m'intéressez pas : je ne suis pas regrattier. Il y a trop de primeurs de par le vaste monde pour ... Mais vous n'avez pas honte ?

Martine
Oui, j'ai honte, Monsieur. Mais soyez bon : rendez-moi ce que vous m'avez pris.

Jérôme
Moi ? Tiens, j'avais oublié ! Vous savez j'en passe tant !

Martine
Voulez-vous que je vous arrache les moustaches ? Alors ne recommencez plus et rappelez-vous bien que vous êtes Don Juan pour moi seule.

Jérôme
Voilà, Mademoiselle, une version nouvelle et fort originale.

Martine
Tout change par les temps qui courent. Le monde se refait. Au vieux Don Juan un nouveau succède : c'est mon mari.

Jérôme
C'est bien la peine alors de porter des moustaches !

Martine
Même le Sénateur fait peau neuve !

Jérôme
Serait-il devenu cheval ?

Martine
Il prétend redevenir homme. Pour célébrer l'événement savez-vous ce qu'il a décidé ?

Jérôme
De manger son cheval ?

Martine
De transformer sa maison en écurie.

Jérôme
C'est encore une idée de cheval.

Martine
Mais plus d'équitation pour lui.

Jérôme
Que fera-t-il ?

Martine
L'amour à Madame. C'est sur elle, paraît-il, qu'il retrouvera son empreinte.

Jérôme
Je crains fort que la place ne soit prise ... A moins qu'elle ne prenne de Don Juan des leçons de fidélité. Je viens de l'apercevoir au jardin avec lui. Elle était fort émue.

Martine
Mon ami, vous le savez bien : elle est toujours émue. Avec Don Juan elle en sera quitte pour l'émotion. C'est un citoyen qui n'accroche pas, mais pas du tout !

Jérôme
Quel avantage trouve-t-il à son rôle ?

Martine
Je me le demande.

Jérôme
Il aurait besoin d'un remplaçant.

Martine
Vous l'êtes déjà.

Jérôme
Mais pour vous seule ! Je me trouve un peu mesquin.

Martine
Allez, ne craignez rien : avec moi aucune de vos générosités ne sera perdue.

Jérôme
Où m'entraînez-vous ?

Martine
Au jardin, Don Juan, pour la leçon de fidélité.

(Pendant qu'ils sortent, Madame et Don Juan d'entrer)

SCÈNE SEPTIÈME

Madame
Ciel ! que ce jeune homme vous ressemble.

Don Juan
Un de mes fils, sans doute.

Madame
Vous êtes donc si vieux !

Don Juan
Non, pas précisément, mais enfin . . .

Madame
Sa jeunesse ne vous favorise pas.

Don Juan
Elle ne le favorise pas, non plus. Ce qu'il doit être niais, ce jeune homme !

Madame
Il ne m'a pas paru tel.

Don Juan
Un homme n'est accompli qu'après un certain âge.
Madame
Les promesses d'amour, auxquelles vous me conviâtes, en sont sans doute la preuve.
Don Juan
Ne vous désespérez pas, Madame, elles viendront. *(Regardant sa montre)* Il est encore un peu tôt : ce n'est pas mon heure.
Madame
Vous êtes réglé à la minute !
Don Juan
Don Juan ne peut se permettre d'aimer à la légère. Dans la licence même on a besoin de discipline.
Madame
Il ne me reste donc plus qu'à attendre l'heureux moment... Votre montre marche au moins ?
Don Juan
On ne peut mieux : c'est une montre de chef de gare.
Madame
Je serai chez moi. Ne manquez pas le train !

(Elle fait quelque pas pour sortir. Le hennissement l'arrête.)

Madame
Pardon.
Don Juan
Plaît-il ?
Madame
Vous avez dit ?

(Madame Salvarson hausse les épaules et sort. Son mari la remplace.)

SCÈNE HUITIÈME

Le sénateur
Enfin je te retrouve, théoricien !
Don Juan
Théoricien de quelle théorie ?
Le sénateur
De la plus loufoque, mon cher Jérôme.

Don Juan
Ce n'est pas la mienne, Monsieur. D'ailleurs vous vous méprenez : je ne me nomme pas Jérôme; je suis Don Juan.

Le sénateur
Don Juan des champs, qui joue au furet avec Monsieur le curé ? Je vois, mon cher Jérôme, que tu te tiens au courant de la chronique villageoise.

Don Juan
Je vous le répète, Monsieur : il n'y a pas de Jérôme dans ma famille.

Le sénateur
Figurez-vous donc, Monsieur, qu'il y en a un dans la mienne : c'est toi !

Don Juan
Vous êtes victime d'une illusion.

Le sénateur
Et toi de moustaches qui te troublent la cervelle ! Monsieur se met un peu de poils en-dessous du nez, adieu Jérôme ! Il se nomme désormais Don Juan.

Don Juan
Je me suis toujours nommé Don Juan.

Le sénateur
Veux-tu que je te les arrache ?

Don Juan
Mes moustaches ? Non, merci.

Le sénateur
Cela serait pourtant un service à te rendre : elles te vieillissent; tu es méconnaissable.

Don Juan
Pour la bonne raison que je ne suis pas ce Jérôme dont vous me cassez les oreilles.

Le sénateur
Sais-tu que je pourrais finir par le croire ? . . . Mais trêve à la mascarade : Jérôme, j'ai besoin de toi . . . Tu m'entends ?

Don Juan
(effrayé) Oui, Monsieur.

Le sénateur
C'est au sujet d'Arthur : il n'a pas voulu me suivre.

Don Juan
Sans doute fut-ce par timidité ?

Le sénateur
Peut-on savoir ? Les chevaux sont si bizarres !

Don Juan
Oui, en effet.

Le sénateur
(lui tirant la moustache) Un conseil : ne t'avise plus de me prendre pour un imbécile. Le temps est révolu où tu pouvais abuser de moi. J'ai changé, je vois clair : on ne me joue plus. Tu m'entends Jérôme : à l'avenir je suis lucide et perspicace.

Don Juan
Oui, Monsieur, si lucide que j'ai tout simplement peur de vous.

Le sénateur
Enfin, une parole raisonnable !

Don Juan
Je suis à la merci d'un fou !

Le sénateur
Tu dis ?

Don Juan
Je dis, Monsieur, que j'étais fou.

Le sénateur
Tu exagères; tu n'es pas bête du tout; seulement tu pousses trop loin la comédie . . . Je disais donc qu'Arthur . . . Ai-je besoin de t'apprendre qu'il s'agit de mon cheval ?

Don Juan
Vous savez bien que non, Monsieur.

Le sénateur
Qu'Arthur n'a pas voulu entrer. L'escalier lui semble suspect.

Don Juan
Vous vouliez qu'il entre ici ? Dans la maison ?

Le sénateur
Parbleu, oui !

Don Juan
Dans ce cas, il faudra qu'il se résigne à passer par l'escalier. Oui, mais comment obtenir qu'il s'y résigne ?

Le sénateur
A toi de l'en convaincre.

Don Juan
C'est trop d'honneur, Monsieur.

Le sénateur
Tu as le choix : le cheval ou la moustache; tu m'amènes Arthur ou je t'épile le dessous du nez.

Don Juan
Fort bien, Monsieur. Vous aurez le cheval, je garderai mes moustaches et tout le monde sera content.

Le sénateur
Veux-tu que je te montre comment je t'épilerai ?

Don Juan

N'en faites rien, je réussirai; un cheval n'est pas plus capricieux qu'une femme.

Le sénateur

Tu connais les femmes, toi, mon pauvre Jérôme ?

Don Juan

Assez pour savoir manier un cheval.

Le sénateur

Comme c'est drôle ! Moi, au contraire, c'est le cheval qui m'a appris à manier la femme.

Don Juan

Leur ressemblance est depuis longtemps signalée. L'un et l'autre, du moins quand ils sont de race, ne sortent pas sans être accompagnés. Une porte survient-elle, le cheval stoppe, son cavalier la lui ouvre. Même cérémonie avec la femme. Ils ont d'ailleurs en partage les mêmes amateurs.

Le sénateur

Je préfère aujourd'hui la femme : elle est plus humaine.

Don Juan

Mais le cheval est muet et il a quatre pattes.

Le sénateur

Le bel avantage d'avoir quatre pattes s'il ne monte pas les escaliers !

Don Juan

Il montera.

Le sénateur

J'en doute.

Don Juan

Si je réussis, accepterez-vous que je sois Don Juan ?

Le sénateur

Je respecterai ta moustache.

Don Juan

Conviendrez-vous que je ne suis pas Jérôme ?

Le sénateur

Mon pauvre garçon, tu es complètement cinglé ! Je conviendrai tout ce que tu voudras. Je ne peux rien sur ta folie.

Don Juan

A nous deux, cheval ! Tu seras ma plus belle conquête.

Le sénateur

Il s'agit moins d'une conquête que d'un escalier.

Don Juan
Pour une amante l'escalier n'est rien quand la chambre est à l'étage. Ah, cheval ! cheval ! sur toi mon destin se joue comme jamais il ne se joua sur nulle femme ! Cheval, ton amour sauvera le nom de Don Juan !

(Il sort)

SCÈNE NEUVIÈME

Le sénateur
Sa moustache l'aura perdu, inconvénient des mascarades : sous un déguisement on peut ne pas se reconnaître. Tel est le sort de ce pauvre garçon : il se perd dans un peu de poil et se retrouve Don Juan. Ce fut peut-être le mien; c'est celui de la plupart des gens qui se croient sensés : cette folie est leur seul bon sens. Dans un monde factice où le masque prévient le visage, où le rôle résume l'homme, comme des mouches dans le miel on s'agglutine aux apparences; le masque se colle au visage, le rôle marque l'homme; on vit comme au théâtre, oubliant le reste du monde, sur une scène exiguë; on traîne vers la mort, après son petit personnage, comme une ombre démesurée, un inconnu gigantesque au visage effaré.

(Entrée de Madame Salvarson.)

Le sénateur
Hortence !
Madame
Achille !
Le sénateur
Hortence, je vous vois pour la première fois !
Madame
Vous voyez une femme coupable.
Le sénateur
Vous êtes radieuse comme une bonne action.
Madame
Je suis la dernière des malheureuses.
Le sénateur
Vous êtes mon choix et mon bonheur. Je le découvre après tant d'années inutiles que je me console mal de leur perte.

Madame
Je suis inexcusable.
Le sénateur
C'est mon indifférence qui n'est pas pardonnable. Vous négligeant je me négligeais et je négligeais le meilleur de la vie. Je vous aime et je me retrouve; mes yeux s'éclairent, ma carapace tombe; je sors de mes litanies : Hortence, vous êtes grande comme le monde.
Madame
Achille, votre exaltation me fait mal. Vous arrivez trop tard; je vous ai trahi.
Le sénateur
On ne trahit pas un indifférent.
Madame
J'ai tout fait pour vous tromper.
Le sénateur
Vous ne m'avez donc pas trahi !
Madame
Je n'ai pas réussi.
Le sénateur
Futiles et grotesques, nous vivions en surface, mais sans le savoir nous étions profondément unis. Vous fûtes fidèle malgré vous, et malgré moi je vous reviens. Hortence, je vous aime.
Madame
Je suis une femme mûre.
Le sénateur
Je ne suis pas un jeune homme.
Madame
Pourquoi m'arrivez-vous si tard, enfant ?
Le sénateur
Je jouais des rôles.
Madame
Et moi, seule, les mains vaines, affolée, je tournais dans ma petite cage comme une grosse bête qui manque d'air.
Le sénateur
J'étouffais de même sous ma carapace.
Madame
Savez-vous avec qui je n'ai pas réussi à vous tromper ?
Le sénateur
La même aventure m'est arrivée.
Madame
Avec Don Juan.
Le sénateur
Avec un cheval.

Madame
Un impuissant.
Le sénateur
Une bête de tout repos.

(Hennissements)

Madame
Serait-ce la dite bête ? Elle crie bien fort, je trouve, pour une bête de tout repos. Peut-être vous appelle-t-elle.
Le sénateur
Elle hennit de joie. Je lui ai trouvé un nouveau maître, ce Don Juan dont vous parliez et qui d'ailleurs n'est pas Don Juan, mais mon valet Jérôme, fou depuis qu'il s'est mis des moustaches.

(Entrée de Martine et de Jérôme)

SCÈNE DIXIÈME

Le sénateur
Le voici justement, ce fameux Don Juan !
Madame
Ce n'est pas lui.
Le sénateur
Et sans cheval !
Martine
Je lui suffis.
Le sénateur
Qu'as-tu fait de mon cheval, malheureux !
Jérôme
Nous l'avons mangé.
Madame
Ce n'est pas Don Juan. A peine en a-t-il les moustaches.
Le sénateur
(les arrachant) Il ne les a plus.
Martine
Sénateur, mes moustaches !
Le sénateur
Finies les moustaches !
Martine
Mon Don Juan !

Le sénateur

Fini le Don Juan ! Je l'avais prévenu : le cheval ou la moustache. Il est revenu sans cheval : je l'ai épilé.

Martine

Vous êtes un maître injuste et cruel : c'est moi que vous punissez. Ces poils, il les portait pour moi. Ils me chatouillaient la joue et j'y prenais plaisir.

Le sénateur

Qu'il aille chercher mon cheval et je les lui remettrai.

Jérôme

Je veux bien, mais où est-il ?

Martine

A l'écurie, tu penses bien !

Jérôme

J'y vais . . . quoique, moi, tu sais, les chevaux . . .

Madame

Achille, tu dois avoir la vue faible.

Le sénateur

Il y a donc deux Don Juan, toi et l'autre, toi qui es à Martine, l'autre qui serait au curé.

Jérôme

Moi, je ne suis qu'une version de l'original, version revue, corrigée, expurgée et chrétienne, encore que je ne puisse pas être mis entre toutes les mains.

Martine

Il est Don Juan pour mon seul plaisir.

Le sénateur

Coquine, tu sais te tailler les bons morceaux !

Martine

Il n'est pas mal. Qu'attendez-vous, Monsieur, pour lui remettre ses moustaches.

Le sénateur

Les voilà recollées, mon cher Théoricien.

Madame

Elles lui vont à merveille. Croyez-moi : ce nouveau Don Juan vaut mieux que l'ancien.

Martine

Peut-être serait-il mieux avec des grelots ?

Jérôme

Pourquoi pas avec un anneau dans le nez ?

Martine

Oui, pourquoi pas, mon cher ?

Jérôme

Voilà ce que c'est que d'être un amant sincère ! On lui donne la succession d'un fou, on lui colle des moustaches, on lui met un anneau dans le nez !

Martine

Quand on prend un homme, il faut savoir le dompter. Le ménage des bêtes fauves n'est jamais heureux. De Don Juan j'ai fait un animal domestique.

Madame

Achille, vous êtes bien songeur !

Le sénateur

Je pense à l'autre, au fauve, au sauvage, à l'indomptable Don Juan . . . Pauvre Arthur !

Madame

Soyez sans crainte : il ne lui fera pas de mal.

Le sénateur

Il n'avait pas la réputation d'être doux avec les dames.

Madame

Il n'était pas méchant; il avait peur d'elles.

Le sénateur

Pourquoi les recherchait-il alors ?

Madame

Par jeu, afin de leur échapper ensuite. Son plus grand plaisir était de fuir le plaisir et l'amour. A cheval il ira plus vite.

Le sénateur

Mais il changera souvent de bête !

Madame

Ça, comptez-y bien.

Martine

Il fera même un excellent maquignon.

(Hennissements répétés)

Jérôme

Voici le séducteur et sa victime.

(Entrée remarquable d'Arthur et de Don Juan)

SCÈNE ONZIÈME

Don Juan
Nous avons gravi les marches triomphales de l'escalier de gloire. Vous tous qui êtes ici, vous assistez à l'apothéose de Don Juan. Parvenu sur cette scène, je continue dans la légende. J'ai trouvé la voie de mon salut : j'étais un maquignon qui s'ignorait. Voilà pourquoi passant d'une femme à l'autre je restais sur mon appétit.
Martine
Vous aviez une faim de cheval.
Don Juan
J'avais besoin d'un amour qui ne fût pas humain; j'avais besoin de dépasser ma nature. Je l'ai dépassée : je suis dieu.
Martine
Belle réussite : vous n'avez jamais été un homme.
Le sénateur
Le pauvre ! il aurait besoin qu'on l'encense.
Martine
Vive le dieu des chevaux !
Jérôme
Vive le prince des maquignons !
Madame
Gloire au grand Don Juan !
Don Juan
Dans le lointain de la légende, avec les satyres, les nymphes, les tritons, je vivrai éternellement.

(Soit en grimpant sur une chaise, sur une table, ou autrement, il s'élève à cheval dans les airs.)

Le sénateur
Minute, Don Juan : c'est mon cheval !
Don Juan
Je l'ai ravi; il m'enlève. Je suis son dieu; il m'appartient. Homme de peu de foi, tu ne pouvais même pas lui faire monter l'escalier de ta maison ! Guidé par mon bras, il galope dans les airs, il fend l'espace, il se dresse sur les nuages . . . Arthur, un instant : je n'ai pas fini; modère ton impatience . . . Mortels, regardez-moi une dernière fois : vous pourrez raconter à vos enfants que vous avez vu Don Juan monter au ciel.

Jérôme
Ils ne nous croiront pas.
Don Juan
Ma gloire n'a pas besoin de leur crédulité. La divinité me suffit. Je n'attends rien des hommes. Et mon plus grand bonheur dans cette apothéose est de penser que jamais plus mon regard ne sera affligé de la vue d'une femme.

(Enfin le curé, après avoir tant couru tout au long de la pièce, débouche sur la scène, ne pouvant arriver mieux.)

SCÈNE DOUZIÈME

Le curé
(saisissant le cheval à la bride) Monsieur ! Monsieur, vous n'y pensez pas ! Descendez, descendez ! Voyons, pas de folie ! Eh, picouille : à terre, je dis !
Don Juan
Arthur ! Arthur, vite ! . . . L'abbé, vous n'avez pas le droit ! Nous sommes chrétiens : laissez-nous monter au ciel !
Le curé
Ouf ! je vous ai sauvé de justesse . . . Chrétien, laissez-moi rire ! Depuis quand monte-t-on au ciel à cheval ? Les nymphes et les satyres parmi le choeur des anges ! Les tritons sans doute au milieu des vierges et des martyres ! En voilà une panoplie ! Une théologie de jupon ! . . . Mais, vous étiez fou, mon ami ! C'est en enfer que vous alliez ! . . . Sénateur, vous, un ami de Monseigneur, un futur commandeur : complice de Satan ! On aura tout vu ! Vous auriez peut-être avantage à être un peu plus assidu à la messe, vous et toute votre maison.
Le sénateur
Révérend, vous parlez comme je pense, mais voyez-vous, je ne pensais pas très haut.
Le curé
Vous me reprochiez de courir. Un curé qui court dans des champs, c'est curieux, je vous l'accorde. Mais si je n'avais pas couru je ne serais jamais arrivé à temps ! Surtout après les détours que vous m'avez fait faire ! O grand saint Antoine, merci ! L'enfer, quelle catastrophe, ç'aurait été !

Le sénateur
(à genoux) Révérend, pardonnez-moi.

Le curé
Relevez-vous, je vous pardonne. Pour pénitence, d'abord tenez la bride de ce cheval et ne le lâchez pas, ensuite vous assisterez à la représentation de Don Juan. De plus, quand vous serez Commandeur, n'oubliez pas de dire un bon mot pour moi à Monseigneur.

Le sénateur
Je n'y manquerai pas, Révérend.

Le curé
(le poing sous le menton de Don Juan) Coquin ! Sale fripouille ! Imbécile ! Fifi coureur de jupons ! sans compter le reste ! . . . Ah, quand j'y pense : une salle paroissiale bondée ! Une salle où il commence à faire chaud, où l'on s'impatiente déjà : je me vois sur la scène annonçant la remise du spectacle, j'entends les huées . . . Les huées, passe encore, mais la recette à rembourser, je serais tombé en agonie ! . . . Saint Antoine, merci encore une fois.

Don Juan
L'Abbé, je ne jouerai pas.

Le curé
Monsieur Don Juan ne jouera pas, ah bon !

Don Juan
Non, je ne jouerai pas.

Le curé
Dis donc, cabotin, pour qui te prends-tu ? On te fait de la publicité, et tu n'es pas content ! On te chauffe la salle et tu te refroidis ! Tu penses peut-être que je t'ai payé le train à partir de Québec pour que tu viennes faire du cheval dans ma paroisse ? Que j'ai couru après toi dans les champs parce que j'ai la théologie dans les jambes ?

Don Juan
En tout cas, plus de femmes pour moi.

Le curé
Tu voudrais sans doute que je te prête ma soutane ! Ça s'en allait parmi les nymphes, les satyres et les tritons, et ça se retourne curé ! Si tu ne veux pas jouer, tu t'expliqueras à l'assistance, et tu verras ce que tu verras ! Ce sera Molière ou moi. Oui, figure-toi, je suis aussi un auteur dramatique. Ma pièce s'intitule : la passion de saint Etienne lapidé par la foule. Pour t'achever tu

iras au boxon de la veuve Scott... Alors qu'est-ce que tu choisis, mon mignon ? Tu restes dans ton répertoire ou tu viens dans le mien ?

Le sénateur

Révérend, je vous avais méconnu : vous avez l'étoffe d'un évêque.

Le curé

Gardez ça pour vous, Sénateur : pas un mot à Monseigneur.

Don Juan

Je jouerai Don Juan, mais à une condition.

Le curé

Laquelle, mon fils ?

Don Juan

Je le jouerai à cheval.

Le curé

A cheval, pourquoi pas ? C'est d'ailleurs le grand défaut de Molière : il ne met pas de chevaux dans ses pièces... Allons, assez parlementer : la salle doit commencer à s'impatienter.

(Hennissement du cheval. Le cortège se forme. Le rideau tombe. Le cortège passe à l'avant-scène : le curé, le sénateur conduisant par la bride Don Juan à cheval; Jérôme et Martine suivent, se tenant par la main; Madame à la queue, se sentant seule, court prendre le bras du curé. Le cortège sort et c'est la fin de la comédie.)

DU MÊME AUTEUR

L'Ogre (théâtre), Cahiers de la file indienne, Montréal, 1949.

La barbe de François Hertel (sotie), Editions d'Orphée, Montréal, 1951.

Le Dodu (théâtre), Editions d'Orphée, Montréal, 1952.

Le Licou (théâtre), Editions d'Orphée, Montréal, 1953.

Tante Elise (théâtre), Editions d'Orphée, Montréal, 1956.

Le Cheval de Don Juan (théâtre), Editions d'Orphée, Montréal, 1957.

Les Grands Soleils (théâtre), Editions d'Orphée, Montréal, 1958.

Cotnoir (roman), Editions d'Orphée, Montréal, 1962.

Contes du Pays Incertain, Editions d'Orphée, Montréal, 1962.

Cazou ou le prix de la virginité (théâtre), Editions d'Orphée, Montréal, 1963.

La tête du Roi (théâtre), Cahiers de l'AGEUM, Montréal, 1963.

Contes anglais et autres, Editions d'Orphée, Montréal, 1964.

La Nuit (roman), Editions Parti-Pris, Montréal, 1965.

Papa Boss (roman), Editions Parti-Pris, Montréal, 1966.

La Charrette (contes), Editions HMH, Montréal, 1968.

ACHEVÉ
D'IMPRIMER
SUR PAPIER
ROLLAND
ZEPHYR
ANTIQUE
DES
PAPETERIES
ROLLAND
LIMITÉE
CE TREIZIÈME
JOUR DE DÉCEMBRE
MIL NEUF CENT
SOIXANTE-HUIT
SUR LES PRESSES
DES
ATELIERS
JACQUES GAUDET LTÉE
À SAINT-HYACINTHE

Imprimé au Canada

Printed in Canada